虹いろ図書館のひなとゆん

目次

虹いろ図書館の地図
柿ノ実第三小学校
図書館
公園
屋さん
ひなの住むマンション
ファンのお店
ノ実第四小学校

柿ノ実町
柿ノ実駅
新柿町
しあわせ横
総合病院
ゆんの家

I　ひなには友だちがいない。

ひなには友だちがいない。

別に、いじめられていたわけではない。クラスのみんなは、ひなにとても親切だ。

ひなは腎臓《じんぞう》の病気にかかった。三年生の春ごろから休みがちになり、その秋から今年の春まで入院した。四年生の五月から、やっと学校に通えるようになった。

ひなは『うらしまたろう』の話を思い出す。ひなの竜宮城《りゅうぐうじょう》は病院だ。一、二年生のころ遊んだ友だちも、今やほとんど知らない人だ。学校の景色全体に薄《うす》いセロハンが挟《はさ》まってるような感じがする。

初めてクラスに出てきた日、朝の会で担任のまゆずみ先生は言った。

「逆井《さかい》さんは病気のせいで、体を強く動かすことができません。休んでいたせいで、勉強にわからないところもあるでしょう。だからみんな、逆井さんを手伝ってあげましょうね」

「「「はあい！」」」

四年一組は声をそろえて答えた。

ひな以外の、クラスのみんなはすっかりお互《たが》い仲よしだ。勉強もぐんと進んでいる。もう「焼」っていう漢字も書けるし、立方体の体積をもとめることもできる。

だからみんな、小さな妹に教えるみたいにやさしく、ひなに宿題を写さしてくれたり、プリントの答えを見せてくれたりした。

授業中いきなりあてられて、恥《は》ずかしくなることもない。苦しい山登り遠足のときには、家で自習していればよかった。お客さまみたいで、すっごく楽。

けどそのうち、ひなはなんだかおかしな気がしてきた。

自分のグラジオラスの球根からだけ芽が出てこないような。「おおーい」って大声で叫《さけ》んでも、どこからも返事が来ないような。お腹《なか》の中に風船がどんどんふくらんでいくような……そんな気持ち。

「たぶん、気のせいだけどね」

たまに、ひなはひとり言を言った。

ひなは、午前中の授業だけで早引けする。

腎臓の病気というのは、不思議な病気だ。熱や咳《せき》が出たり、体が痛かったり苦しかったりするわけじゃない。自分が病気な感じはちっともしない。

でも毎日薬を飲まないといけないし、体を疲《つか》れさせてはいけないので、体育や水泳は見学だ。

あと、給食が食べられない。塩やたんぱく質など、決められた量以上は食べてはいけないものがある。だから、家で特別に作ったごはんを食べる。

四時間目が終わるとひなはクラスを出て、ひとりだけで帰る。朝と違《ちが》って、校庭や校門は空っぽでがらんとしていた。今、児童はみんな校舎の中で給食を食べているからだ。

たったひとり校庭を横断していると、あたりは果てしなく広くて、目がくらむほど真っ白で、砂漠《さばく》の真ん真ん中を歩いてるみたいな気がしてくる。

「わたしは、こどくに旅する探検隊だ」

ひなは、またひとり言を言った。

通学路もがらんとしていた。小学生は誰《だれ》もいない。

よく晴れた日だ。早引けの子は、明るい五月の真昼をひとり占《じ》めできる。鳥たちは楽し気に歌い、木々の葉っぱはつやつやきれいな緑色だ。

ちょっとお得な気持ちと、ぽかんとした風船みたいな気持ちの両方をかかえて、ひなは歩いていった。

かわいたアスファルトを見ながら、砂漠ごっこを続ける。

が、しかし、

おお、なんたる失態、恐《おそ》るべきミステイク！　水筒《すいとう》が空《から》だ。命の次に大切な水がなくなった。

そのうえ、砂漠の船ことらくだは逃《に》げてしまった。灼熱《しゃくねつ》の太陽は、容赦《ようしゃ》なく探検隊の首すじとランドセルを焼く。このまま行けば、絶対のたれ死に、しわしわのミイラになってしまう。はてさて、絶体絶命、大変なことになった。探検隊の運命やいかに！

……なあんちゃって。

ひなは首を上げて、にっこりした。ここにオアシスがあるのは、せんこくしょうちのすけのこんこんちき、だったからだ。

ひなのオアシスは、ヤシの木の茂《しげ》る湖ではない。

代わりに高い杉《すぎ》の木が生えてて、まわりの花壇《かだん》はツツジのピンクの花でぎっしりだ。その向こうに灰色の二階建ての建物がある。ちょっと見ただけだと、つぶれかけの会社みたい。

ごろんごろん、

大げさな音のする自動ドアをくぐって、ひなは建物の中へ入る。

入ったところすぐに、貸出・返却《へんきゃく》カウンターと新聞や雑誌のコーナーがある。コーナーの椅子《いす》やベンチには、大勢のおじいさんたちが座って、新聞や雑誌を読んでいる。大勢いるのにいつもとても静かだ。居眠《いねむ》りしてる人もいる。

ここは、図書館だ。

静かなおじいさんたちを通りすぎ、ひなは雑誌コーナーの奥《おく》のそのまた奥へ進む。そこには冷たい水がこんこんとわきでる、魔法《まほう》の泉がある。

ま、給水器ともいうんだけど。

ひなが泉の水をたっぷり水筒にくんで、ごくごく飲んでいると、よく見るおかあさんたちが入ってきた。

三つ子の赤ちゃんのベビーカーを押《お》すおかあさんと、紫《むらさき》色のだっこ布をつり下げた若いおかあさん、それからベッドとバッグの中間みたいな入れ物に赤ちゃんを入れて、片手で持った若いおとうさん。エレベーターで上がっていく。

二階は、フロアまるごと子どもの本のコーナーだ。

探検隊（ひとりだけど）も、二階へ上がる所存だ。ただし、屈強《くっきょう》な足腰《あしこし》を持つ隊員は階段を利用せねばならぬ。

ひながゆっくり上がっていくと、カウンターのおにいさんが気がついて、顔を上げ、

「こんちは、ひなさん」

右手を軽く上げる。

「こんちは、イヌガミさん」

ひなも手を上げて駆《か》け寄《よ》る。ぴょん、と飛び上がって、ぱっちん、とハイタッチした。お約束の挨拶《あいさつ》だ。

さっきのおかあさんたちが《おはなしのこべや》へ入っていくのが見えた。

《おはなしのこべや》は「おはなしかい」のための部屋だけど、「おはなしかい」をやってない

ときは誰が入ってもいい。下がカーペットなので、赤ちゃんたちはそれぞれの入れ物から解放される。きっと赤ちゃんたち、『アルプスの少女ハイジ』の山に放されたヤギみたいにうれしいに違いない。

　ほかにお客さんはいなくて、フロアはのんびり静か。大きな窓からの光と杉の木《こ》陰《かげ》が、床《ゆか》や本《ほん》棚《だな》でゆらゆら揺《ゆ》れる。

　イヌガミさんはだいたい二階のカウンターにいる。いつもつまんなそうな顔で座っているけれど、子どもの本にはとても詳《くわ》しい。たぶん、二階にある本は全部読んじゃって、全部中身を覚えているんだ、とひなは信じている。

　ひなはイヌガミさんにいろんな質問をするのが大好きだ。

　イヌガミさんはそのままずばりと答えてくれたり、答えないで調べるための本を持ってきてくれたりする。

　例えば、「アメンボの種類がわかる本はありますか？」と聞けば、すぐに図《ず》鑑《かん》を持ってきて、探し方まで教えてくれる。

　ところが、「アメンボって、なんでアメンボっていう名前なの？」という質問には、答えないでアメンボの本のある場所を指さすだけだ。

　その場で本を選んで読んだり、借りてじっくり読んだりして、ひなは答えにたどり着く。

ちなみに『アメンボ観察事典』によれば、アメンボをつかまえると、あまい、飴《あめ》みたいな匂《にお》いがするからだそうだ。なんで匂いがするかっていうと、アメンボはカメムシの仲間だから。でも、なんの目的なのかはまだわかってないそうだ。

「あれ、カメムシはなんのためににおいがするんだっけ？」

そう思ったひなはカメムシの本を探す。近くの棚にあった。

『わたしはカメムシ』によると、カメムシの匂いは外敵から身を守るため、それと仲間に危険を知らせるため、だそうだ。そういえば、おとうさんが「カメムシはものすご——く、臭《くさ》いんだぞおお」って言ってたっけ。

カメムシはいやだけど、アメンボは家で飼ってその匂いをかいでみたい。だけど、アメンボを飼うには虫を捕《つか》まえて、生きたまま餌《えさ》にしないといけないらしい。「アリはアメンボの足を食い切ることがあるので、頭を切り落としてからあたえます」と『アメンボ観察事典』に書いてあったので、ひなのお腹はひやっとした。

こんなふうに、イヌガミさんに教えてもらった本をきっかけに、ひなは別の本までおもしろく読んだり、頭でいろいろ考えたりする。

今日のひなは手さげから、『長くつ下のピッピ』を取り出して、

「イヌガミさんのおすすめ、すんごく、おもしろかった」

カウンターにのっける。

「それはよかった」

イヌガミさんはぴっ、と返却のスキャンをして、ピッピを《きょう　かえってきた　ほん》の棚にのせた。

「リンドグレーンにはずれなし。古来、児童室に伝わるありがたい教えだ」

ひなはランドセルを足もとに下ろし、カウンターに背中をくっつけてもたれた。

「ピッピみたいな子が友だちだったらいいよねー」

イヌガミさんはカウンターにひじをついた。

「まったくそのとおり。いいよなあ」

「わたし、ベランダで馬飼いたーい」

「ぼかあ、金貨がぎっしりつまったスーツケースだけでいいです。ほかにはなんにもいらない」

「あははは」

ひなとイヌガミさんは、しばらくおしゃべりする。

こうやってくだらないことや、くだらなくないことをいろいろおしゃべりすると、さっきの、ぽかんとした風船みたいな気持ちはすっかり消えてしまう。本当のひなは、とてもおしゃべりで、お笑い好きの子どもなのだ。

図書館って、実は静かにしないといけない。『番ネズミのヤカちゃん』が《としょかんの　な

かでは　しずかに》と言ってる貼《は》り紙《がみ》も貼ってある。ヤカちゃんは、とってもとっても大きな声の子ねずみなんだけど。ただ、この時間はほかの人がほとんど来ない。だから、おしゃべりしても注意されない。ていうか、注意するのはイヌガミさんの仕事のはずだ。

　さてさて、おしゃべりでだいぶ気が晴れたひなは、はずれなしのリンドグレーンの本棚へ行った。ピッピの続編もおもしろそうだけど、あと二冊しかないから、ゆっくり読みたいな、なんて迷うのも楽しい。何げなく近くの一冊を抜《ぬ》いてみる。

　表紙の絵は、大きい子と小さい子、ふたりの男の子が石橋の上に腰かけている場面だ。青い水と白い花に囲まれて、ふたりは釣《つ》りをしている。

　ひなはちょっと胸を押《お》さえた。あまりにもかわいかったり、きれいだったりするものを見ると、きゅっとこのあたりが痛い感じになる。

　その本、『はるかな国の兄弟』に決めて持っていった。

　イヌガミさんはカウンターで絵本を読んでいる。ひなが近づいても平気で読んでいる。

　ひなはしゃがんでのぞきこみ、本の題名を読んだ。

「『河原にできた中世の町―へんれきする人びとの集まるところ』……へんれきってなに?」

　イヌガミさんは絵本を置く。

「えーっと」

　椅子のまま、ちょっと離《はな》れた後ろの棚へつうとすべった。腕《うで》を伸《の》ばし分厚い辞典を取って、また座ったままつうともどってきた。

　ぼこんと辞典を開いて、言葉を探す。

「へ、へん……へんれき、遍歴《へんれき》……あった。『広く諸国をめぐり歩くこと』だって」

　ひなは容赦しない。両腕でカウンターにしがみつきながら、さらに聞く。

「しょこくってなに？　めぐり歩くってなに？」

　イヌガミさんは笑って立ち上がる。

「知りたがり屋がそんなカッコしてると、《じょーじ》って呼ばれちゃいますよ」

「うきー」

　ひなも笑って、おさるっぽく鳴いた。あれ、でも『ひとまねこざる』のじょーじは、「うきー」って言ってたかなあ。あとで確かめてみよう。

　イヌガミさん、今度は子ども用の国語辞典を二冊も取って来た。

「自分で引いてみてください。『めぐり歩く』だと載《の》ってないかな？　だったらまず『めぐる』を引くといいね。『歩く』の意味はじょーじにもわかるだろうから」

『ひとまねこざる』をやめて、ひなはしゃんと立った。カウンターの上で辞典をめくる。

「諸国」はいろんな国のこととすぐにわかった。けれど「めぐる」はいろいろ意味があって迷う。どっちの辞書にも五番目まで意味があって、辞書によって書き方が微妙に違うから、ひなの頭はぐるぐる……めぐった。たぶんこの場合は「ぐるりとまわっていく」、それとも「あちこちを歩き回る」かな。つまり「遍歴」とは、いろんな国や場所をぐるっとあちこちまわって行くという意味らしい。

ならば、ひな探検隊も毎日諸国を遍歴してるぞ、とひなは思った。めぐるのは国じゃないから「諸町内」かな。

国語辞典を棚にもどしてきてから、ひなはカウンターの上の『河原にできた中世の町』を手に取った。表紙はとても地味な本だ。本棚にあったら、絶対に自分では選ばない。でも、イヌガミさんが読んでるとおもしろそうに感じる。

ぱらぱらページをめくると、がい骨とか牛の死体が出てくる。ちょっと暗くて怖《こわ》いかも。でも、お店屋さんやお坊《ぼう》さん、お侍《さむらい》さんやカラフルな着物の女の人、きれいな虹《にじ》や金色の蝶々《ちょうちょう》なんかの、たくさん人やものが出てくる。

ひなは、こういうたくさんのことが細かく描《か》いてある絵が好きだ。『ウォーリーをさがせ！』とか『わっしょいわっしょいぶんぶんぶん』とか、何度も借りて読む。たぶん、ラーメンとかカレーみたいな、こってり味の食べ物みたいな気がするから。

「借りてく？」

イヌガミさんが聞く。

「いいの？」

ぱっと顔を上げたひなだけど、ひそひそ声になる。

「でも、イヌガミさん読んでるんじゃないの？」

イヌガミさんは笑って首を振《ふ》る。

「もちろんいいよ、本ならただで貸すほどたくさんあるんだから」

そう言って貸出のスキャンをしてくれた。

二冊を手さげに入れ、ひなはお侍さんっぽく言った。

「さて、せっしゃは、へんれきにもどるでござる」

ランドセルを背負い、手さげも肩《かた》にかける。

「道中お気をつけて」

イヌガミさんまで昔の人っぽく言った。たぶん、峠《とうげ》のお団子屋さんあたりの役だ。

ばいばいと手を振って、お侍探検隊は足どりも軽くオアシスを出発した。


いいかげん、お腹がすいた。

もうすぐ家だ。探検隊ごっこもお侍さんごっこもやめて、ひなはさくさく歩く。近所の公園にさしかかる。ここを突《つ》っ切《き》ったら、家のマンションはすぐだ。

「あ」

ぎくっとして、ひなは立ち止まった。

公園の真ん中に、犬がいたからだ。

ひなは動物が大好きだ。犬も大好き……でも、この子はちょっと違う気がする。

大きな犬だ。中に大人の人間が入ってるくらい。灰色の毛がもっさもっさはえてて、とても汚《よご》れていた。長い毛はもつれて、つららみたいなとげとげになっている。耳の片方が垂れて、片方が立っている。近くに飼い主らしい人はいない。リードも首輪もついていない。

犬はひなを見た。とたん、がううう、とうなりだした。今にも飛びかかりそうに頭を下げる。鼻の上にしわがよって、白い牙《きば》が見えた。

この子、あんまり……人間が好きじゃないみたい。ご機嫌《きげん》もよろしくないみたい。

ひなの足はとっくに、かたかた震《ふる》えている。どどうしよう、逃げなきゃ、逃げなきゃ、心はあせって叫ぶけど、体は思うように動かない。ぺったり、その場に座ってしまった。

うなりながら犬は、だんだん近づいてくる。

ひなの心臓は早く打ちすぎて、もうちょっとしたら口から出そうだ。逃げるどころか、立ち上がるのも無理っぽい。助けを呼びたくても、声すら出ない。さっきとは大違い、マジでリアルな絶体絶命、大変なことになった。ひなの運命やいかに！

そのとき、

「待て待て待てい！」

お侍さんみたいなセリフが聞こえ、誰かが、ひなと犬の間に立ちふさがった。

光の具合で、ひなからはその姿は黒い影《かげ》に見えた。

黒い影はひなに背中を向けて、つまりは犬に向かって、

「ゲキタイのポーズ！」

叫んで、ぴんとまっすぐ立った。

「はあっ！」

気合いとともに、両腕を真横に伸ばす。アルファベットのTみたいな形だ。

「はあああっ！」

さらに気合いをこめる。ひじは上げたまま、喉《のど》のあたりで手を組んだ。

喉から光線でも出る？　怖いのも忘れて、ひなは影さんの背中を見つめる。

光線は出なかった。

がううう！

犬はもっと大きな声でうなりだした。さっきよりずっと怒《おこ》ってる。今にも飛びかかってきそうだ。

「あぶ、あぶ、あぶぶ」

ひなは懸命《けんめい》に喉を振りしぼる。かすれた声がやっと出た。

「……あぶないっ」

ところが、黒い後ろ姿はちっとも怖がってないみたい。

「ううむ、かくなるうえは、例の必殺技のみ」

やっぱりお侍さんみたいな言い方だ。でもその次が、全然お侍さんぽくない。

「ワッツー、ワッツー、ワッツー」

いきなりリズムにのって、体を揺らし踊《おど》りだした。

「ワッツー、ワッツー、ワッツー、」

ひなはぽかんと口を開けた。

いや、これは踊りじゃないのかな？　影さんはぴょこんぴょこんって跳《は》ねながら、前に後ろに、左に右にさかんに揺れる。

「ほうら、来い、ワン公め……はあっ！」

地面に手のひらをついて、逆立ちをした。つまり頭が下で足が上だ。広げた足をまっすぐ伸ばし、

「ほうれ！」

ぶるんとまわした。

まるでヘリコプターのプロペラが回転するみたいに見えた。

「すごい……」

なんだかテレビの中の人みたい、とひなは思った。ひなは逆立ちすらできないし、ひなのまわりにも、逆立ちしてそのうえ足をぶるんとまわせる人なんて、ひとりもいない。

しかもこの黒い影さん……女の子だ。それもひなと同じくらいの歳《とし》の。

犬もきっとびっくりしたに違いない。ぴたりとうなるのをやめた。

足をぶるんとまわしたその子は、

「しゅたっ！」

口で言ってから飛び跳ねてもとに戻る。つまり頭が上で足が下だ。すぐにまた逆立ちになって、ぐるんと足をまわす。

犬の耳が両方とも後ろにぺったり倒れた。ざりっ、と後ろ足が鳴る。

勢いづいて、その子は連続で攻撃《こうげき》を繰り出す。

「ほうれ、しゅたっ！　ほうれ、しゅたっ！　ほうれ……」

ぐるんと足が近づくたんび、犬はよける仕草をする。ざりっ、じりっ、って後ろへ下がった。

でも、攻撃の足は止まらない。

「ほうれ、しゅたっ！　ほうれ、しゅたっ！　ほうれ……」

ぐるん、ぐるんとまわしながら、犬が下がった分だけずんずん攻《せ》めていく。

大きな犬は、とうとう尻尾《しっぽ》を丸めた。

「くうーん」

かわいい声で鳴いたと思ったら、くるんとまわれ右して、かさかさ走って逃げちゃった。

犬がいなくなると、謎《なぞ》の女の子はやっと足をまわすのをやめた。

「しゅたっ！」

手のひらでぴょいっと跳んで、しっかり足で立った。両手を腰にあてて、豪快《ごうかい》に笑う。

「わっはっはっは、おととい来やがれ、ワン公め」

ひなはやっと気がついて、開きっぱなしの口を半分閉じた。

「はあああ〜」

地面に座りこんだまま、大きなため息が出た。

「……こわかった」

前に立っていた子は、初めてひなへ振り向いた。

「なあに？　あんた、あんな犬っころがこわいの？」

ひなはぱちぱちまばたきして、その子を見上げた。

光の加減が変わって、その子をまぶしく照らした。

きらんと、まっ黒な瞳《ひとみ》が光った。

お正月にえっちゃんに見せてもらった、宝石のブラックオパールをひなは思い出した。透《す》き通《とお》った黒の中に、赤や緑の火花がぱちぱち弾《はじ》けるみたいな、そんな色が同じだ。

不思議な子だ。さっき思ったとおり、ひなと同じくらいの歳の女の子だ。

でも、それ以外は全部違う。

ひなの髪《かみ》は真っ黒さらさらのストレートで、お尻《しり》につきそうなくらい長い。毎朝美容師のおとうさんがいろんな形に編んでくれて、今日は三つ編みにしてふたつの輪っかにしてある。

その子の髪は、縮《ちぢ》れた茶色でとっても多い。「長い」というより「多い」のだ。くっきりした緑と赤と黄色のしましまはち巻きをつけていて、そこからぶわっとあふれている。コントとかで、爆発《ばくはつ》にあった人みたい。

今日のひなは、薄桃《うすもも》色のロングＴシャツ、ブルーの七分パンツと、クリーム色のスニーカーという姿だ。

その子もＴシャツを着ていたけど、はち巻きとお揃《そろ》いの色だ。緑と赤と黄色のしましまで、すっごく目立っていた。きっとジャングルの中、五十メートル先にいたって気がつくだろう。だぼだぼのモスグリーンのハーフパンツから伸びる足はしゅっとしまって、すんごく駆《か》けっこが速そう。大人っぽい黒のサンダルもカッコいい。

ひなは家の鍵《かぎ》を細いリボンに通して、首からＴシャツの中に下げている。

その子は鎖《くさり》みたいな太い金色の長いネックレスを下げていた。Ｔシャツやパンツのあちこちには、バックルや安全ピンやバッジがきらきらくっついている。だからその子が動くたんびに、かちゃかちゃ、しゃりしゃり、にぎやかな音がした。

ひなはよく大人に「日本人形みたいねえ」と言われる。つまり、あっさりとした顔だと思う。外遊びもしないしプールにも入れないから、肌《はだ》の色は他の子よりずっと白い。

その子は眉毛《まゆげ》も目も鼻もくっきりしていて、肌はクラスの誰より日に焼けていた。

ひなはわくわく震えながら声を出した。

「あ、あの、あの、」

その子はおもしろそうな顔でひなを見た。首を傾《かし》げた。

「あの？　あの？　あの？」

「ありがとう……」

やっと、それだけ言えた。

「ま、いいってことよ」

その子はくしゃんと笑った。目が細くなって鼻の上にしわが寄って口のはしがぐーんと上がる。

ひなはちょっと胸を押さえた。きゅっと痛い気がした。

そのくらい、その子の笑顔はかわいかった。

ひなが胸を押さえてる間に、その子はくるっとまわれ右した。それから、てけてけてけ、って駆けだす。あっという間に公園の外へ消えた。

Ⅱ 『ふしぎなともだち』

家に帰っても、ひなは図書館の帰りにあったことを誰にも言わなかった。なぜだか、本当って気が全然しない。詳《くわ》しく思い出せば思い出すほど、頭の中で作った話のような気がしたからだ。

晩ごはんとお風呂《ふろ》のあと、すぐにベッドに入って、『はるかな国の兄弟』を読んだ。

主役の兄弟が、最初の方で続けて死んじゃうのには驚《おどろ》いた。ピッピと同じ作者とは思えない、とても美しく悲しいおはなしだ。死んじゃった兄弟は別の世界へ行き、そこで幸せになったと思ったのに……冒険《ぼうけん》や戦いの場面にはらはらしてぐいぐい引っぱられて、気がつくともう最後のページだ。

悲しい、でもきっとふたりは幸せなんだろうなあ、などといろいろ考えの浮《う》かぶおしまいだった。

閉じた本をサイドテーブルに置いて、

「ふう」

仰向《あおむ》けに寝転《ねころ》び天井《てんじょう》を見ながら、ひなは大きくため息をついた。

おもしろい本を読んだあとって、山登りでてっぺんに着いたときみたいな気持ちだ。ちょっと疲れるけど、なんだかとってもうれしい。

「あ、今日はもう一冊あったんだ……」

ひなはひじをついて体を起こしかける。そのとき、

「あ……」

光がひらめくみたいに、頭の中に絵が浮かんだ。

あの子だ。昼間のあの女の子の、くしゃんとした笑い顔をはっきり思い出した。ブラックオパールそっくりな目も、個性的なファッションも、ヘリコプターみたいにぐるんとまわした足も、まるでそこにあって手で触《さわ》れるくらいくっきり思い出した。

急に胸がどきどきしてきて、ひなはそのまま布団《ふとん》にすっぽりもぐりこんだ。


次の日の学校帰りにも、ひなは図書館へ寄った。

二階のカウンターにはやっぱりイヌガミさんがいて、何冊かの絵本をぱらぱらめくっていた。階段を上ってきたひなに気がついて、片手を上げた。

「こんちは、ひなさん」

「こんちは、イヌガミさん」

ぱっちん、いつものハイタッチをする。てっぺんでひとつにしばったひなの髪が、馬の尻尾みたいにしゃらんと揺れた。

返却を済ませ、ひなはカウンターの絵本を見た。いつものとおり、イヌガミさんのそばにある本は、普《ふ》通《つう》に本棚にあるよりずっとおもしろそうだ。

すかさずのぞいて題名を読む。

「『ジェシカがいちばん』、『アルド』、」

その次に、ひなはちょっとびくんとした。

「……『ふしぎなともだち』」

それに気づいたのか気づいていないのか、イヌガミさんが言う。

「この三冊、テーマが似てるんだよ。どれにも、主人公の子にしか見えない、不思議な友だちが出てくる」

そこでひなはもう一度、びくんとした。イヌガミさんは二階の本全部ばかりじゃなく、ひなの心の中まで読んじゃったのかな、と思ったからだ。でも心の中で首を横に振って、そんなわけないと思い直した。

「見ていい？」

「もちろん。三冊ともどうぞ」

ひなは絵本を受け取って、向こうのテーブルで読みはじめる。

今日は、いつものおかあさんと赤ちゃんたちもいなくてさらに静かだ。カウンターのイヌガミさんが、ときたまキーボードをかたかた打ったり、ノートにかさかさ書きつける音がかすかに響《ひび》くくらいだ。

窓の外の杉の木と、床や本棚に差す影がさわさわ揺れる。

カウンターの後ろの事務室から、栗《くり》色の髪の女の人が出てきた。この人もひなにはおなじみだ。

「こんにちは、ひなちゃん」

ひなは絵本から顔を上げて、

「あ、うつみさん、こんにちは」

ぺこんと挨拶してから、絵本の世界にもどった。

うつみさんはキーボードの前に手をついて、イヌガミさんのノートをのぞきこむ。

「これ、次の勉強会の？」

「ええ、まあ……」

イヌガミさんはそろーっと椅子をすべらせて、うつみさんから体を離した。

もしひなが絵本じゃなくて、イヌガミさんの顔を見たとしたら、左の半分が赤くなっていたのがわかったはずだ。

「……そうです」

それに気づいたのか気づいていないのか、うつみさんはもっと近づいてイヌガミさんのノートを読む。

「ほほう、『児童書におけるイマジナリーフレンドの変遷《へんせん》』ですか。またニッチなテーマだこと」

「はは、」

イヌガミさんは苦笑いする。

「今ね、ちょっとフィールドワーク中」

「え？」

うつみさんは首を傾げる。

ひなが絵本から顔を上げて、ふう、とため息をついた。

「読んだー」

三冊かかえてカウンターに返しにきた。

「なるほど、モニターさんね」

うつみさんは微笑《ほほえ》む。

イヌガミさんがひなに聞く。

「どうだった？」

ひなは三冊のうち、大きめの一冊に手を置いた。

「わたし、これが一番好き」

大きなうさちゃんと女の子が肩《かた》を組んだ表紙だ。

「『アルド』か。この本はぼくも大好きだ」

イヌガミさんがそう言ったので、ひなはにこっとした。

うつみさんもひなに聞く。

「でも、三つとも似たおはなしでしょ？」

「うーん、そうなんだけど」

ひなは考えながら、ゆっくり答えた。

「あとの本は友だちが見えないんだよ。その子には見えてるはずなのに」

「あれ、そうだっけ？」

うつみさんは残りの二冊をぺらぺらめくった。

「あ、ほんとだ。ジェシカも、『ふしぎなともだち』のボブも、絵に描かれてないんだね」

「視点……誰が見ているか、の問題だね」

イヌガミさんは『アルド』をゆっくりめくる。

「『ジェシカがいちばん』と『ふしぎなともだち』は三人称《さんにんしょう》視点。主人公は名前で呼ばれる。そばで見ている人から見た景色だから、イマジナリーフレンドは絵に描かれない」

「まじめなりいふれんど？」

ひなが言ったら、うつみさんが笑った。

イヌガミさんは笑わないで教えてくれる。

「いや、イマジナリーフレンドって、英語で想像上の友だちのことだ」

「そっか。『アルド』だけ主語は《わたし》だもんね。書いた人が《わたし》だから、アルドが見えるってことか」

ひなが言うと、うつみさんとイヌガミさんは顔を見合わせた。

「ひなちゃんすごい、主語とかって知ってるんだ？　あったまいいー」

うつみさんがぱちぱち拍手《はくしゅ》した。

「ええ、そんな全然」

ひなはさっきのイヌガミさんみたいに顔を赤くして、ごまかすように早口になる。

「あとさ、『アルド』は最後まで消えないんだけど、あとの二冊は、ほかの人から見える……つまり、ふつうの友だちができたら、ふしぎな友だちはもう出てこないの。なんで？　なんで、消えちゃうんだろ？」

いきなり、うつみさんが両手をにぎりしめて、お芝居《しばい》みたいに言った。

「『だっていまじゃ夢の国のケティ・モーリスもヴィオレッタもいないんですもの。たとえ、いたとしても、以前とおなじではないでしょう。とにかくほんとうのお友達のあとじゃ、小さな夢の女の子たちでは満足できないわ』」

ひなとイヌガミさんは、同時にぽっかり口を開けた。

「わあ……」

「『赤毛のアン』、全部覚えてんだ？」

今度はうつみさんがちょっと顔を赤くした。

「村岡花子《むらおかはなこ》さんの訳の方だけね。だって、小学生のころから何千回と読み返しているんだもん。あ、わたしのことはどうでもいいって、つまり、現実は夢の国よりずっと強烈《きょうれつ》だから、目に見える友だちができたら、不思議なお友だちは、出てこられなくなるんじゃない？」

「満月の夜は、星が見えないみたいに？」

「イヌガミさん、そのたとえわかりにくい」

「すいません……」

イヌガミさんて、すぐうつみさんに謝る。

だからひなは急いで言った。

「わたしは、よくわかったよ」

でもやっぱり『アルド』の方が好き、そのあと友だちが消えちゃうなんて悲しい、とひなは思った。


それから二、三日あとのことだ。

その日のひなの髪型は、細かな三つ編みをぐるぐる巻いて、両方の耳の上でお団子にしたスタイルだ。

「レイア姫《ひめ》みたい」

っておかあさんが言った。レイア姫が誰だか知らないけど、お姫様ってとこが、ひなは気に入った。

小さなレイア姫もやっぱり学校を早引けして図書館に寄り、こないだと同じ公園へやって来た。小学生や保育園児や幼稚《ようち》園児《えんじ》は学校や園で給食かお弁当を、それより小さい子は家でお昼を食べている時間だから、いつもなら公園はしんと静まっている。

「あ」

ひなはぴたりと立ち止まった。

遠くからでもすぐ、あの子だってわかった。こないだと同じ服を着ていたからだ。公園の真ん中で、ひとりで飛び跳ねてる。

何してるんだろう？　ひなは公園の入り口の柵《さく》にくっついた。そこから、ごしごし目をこすってようく見た。

声を上げそうになって、自分の口を両手で押さえる。

わん、わん、わん、わん、わん！

大きな白い犬が、あの子に向かって駆けていく。

犬は輝《かがや》くように真っ白で、飛び跳ねるたんびに全身の長い毛がふぁっさーふぁっさーとなびく。

まるで、新品の習字の筆を一万本くらい合わせて、特大の輪ゴムでしばったみたいだ。猛《もう》スピードであの子へ突っこんでいく。

「あぶな……」

ひなの叫びは声にならなかった。目をそらせたいのにそらせられない。

犬が駆け寄ってくるのに、あの子はちっとも怖がらない。大きく両手を広げて、素早《すばや》くがっちり犬の首を捕まえる。そのまま犬に抱《だ》きついて、わっしゃわっしゃとなでまわす。

ひなは、ほうーっとため息をついた。

犬が、尻尾をぶんぶん振っているのが見えたからだ。このわんこは、こないだの子と違って人間が好きだし、ご機嫌も悪くなさそうだ。

犬もあの子も、両方とってもうれしそうだ。

よく見ると、犬は緑のボールをがっぷりくわえている。とがった牙もよだれも全然平気で、あの子は犬の口に手を突っこんでボールを取り上げた。

犬はわんわん吠《ほ》える。たぶん犬語で「返してよ、返してよ」と言ってるんだろう。

その子はボールを返さない。大きく振りかぶって投げようとしたけど、片足を上げたままぴたんと動きを止めた。

ひなを見つけたらしい。みるみる目が細くなって鼻の上にしわが寄って口の端《はし》がぐーんと上がる。あの笑い顔になった。

バレリーナみたいにぐるっと素敵《すてき》にまわってから、片足を下ろすと、

「おおーい」

ボールをにぎった手を大きく振った。

ひなは犬をちらっと見てから、手をそっと振り返した。

「おーい」

声もそっと控《ひか》えめだ。

なんでひなが公園に入って来ないのか、あの子はすぐに気がついたらしい。がっしり犬の首を片手でかかえて押さえ、

「だいじょぶだよ、おいでよー」

もう片方の手で大きく手招きした。

どきどきしたけど、思いきってひなは公園に入った。

女の子は犬の耳に口を近づけて何か言う。そしたら犬ははあはあしながら、お行儀《ぎょうぎ》よくお座りした。

近づくと、今まで見たことのないぐらい大きな犬だ。お座りしても頭の高さは、ひなの身長ぐらいある。ひょっとして、動物園から脱走《だっそう》したシロクマだったりして？　なんてちょっと思った。

でもひなは足を止めずに、ひとりと一匹《ぴき》の前へ立った。

しゃがんで犬を押さえたまま、女の子は言った。

「なでてみ」

「いいの?」

怖がりの子だって思われたくない。ひなはじりじり近づき、犬のおでこにそうっと触った。

犬ははあはあ、べろを垂らしていたけど、ひなが触ってもお座りしたままだ。

真っ白ですごくふわふわしてる。そしてほかほかあったかい。

「わあ、やわらかい」

ひなが言ったとたん、その子は大きな声で笑って、犬から手を離した。

「あははは、これでなかなおり、なかなおりなりい」

「え?」

意味がわからなくて、ひなは手を引っこめる。

「この子、前の子だよ。あんたを通せんぼしたノラ犬」

「うっそ」

ひなの目は真ん丸に開いた。


その子はジャングルジムの一番てっぺんに登った。登り方までユニークだった。まず、真ん中にもぐっていって、そこからロケットみたいに飛び上がりてっぺんから顔を出す。あっという間だ。

ひなは下からふたつめに、外側を向いて座った。

犬は寝そべって一番下の段にあごをのせた。この子をよく見ると確かにこないだのとおり、耳の片方が垂れて、片方が立っている。

金のネックレスをじゃらじゃらいわせながら、その子は言った。

「うちこいつを家来にしたの。うちの行きつけの店でごはんを食べさせて、お風呂に入れたら、こんなに白くなったんだよ。あんたが名前つけていいよ」

「え、わたしが？」

いきなり言われて、ひなは驚いた。

けどチャンスを逃《のが》したくない。ひなの家はマンションなので、大きな犬は一生飼えないはずだからだ。ジャングルジムをきつくにぎって、うんうん考える。考えすぎて、あごが胸につきそうだ。

そのうち、さっきいた図書館の風景が頭に浮かんでくる。絵本コーナーのあちこちにある貼り紙が見えた。『番ネズミのヤカちゃん』の《としょかんの　なかでは　しずかに》、『どろぼうがっこう』と『大どろぼうホッツェンプロッツ』の《よんだほんは　もとにもどしましょう》、『かいじゅうたちのいるところ』の《ほんは　だいじに　しよう》……どの貼り紙にも、その内容に関係ある絵本のキャラクターがくっついている……そのうちの一枚が、くっきり目の前に浮かんだ。

《てを　あらおう》

「そうだ！」

ひなはぱっと顔を上げた。

「ハリー……ハリーはどう？」

その子がぽかんとしたので、ひなはあわてて説明した。

「絵本に『どろんこハリー』っていうのがあるの。くろいぶちのあるしろいいぬだったのに、外でものすごーくどろどろによごれちゃったもんだから、しろいぶちのあるくろいいぬになっちゃって、飼い主にもわかんなくなっちゃった犬のおはなしだよ。でもね、お風呂に入ってきれいになったら、もとにもどるの」

「あっははははは」

その子は大きな声で笑って、

「いいねいいね、とってもいいね。よしきた。ハリーね。りょうかい」

歌うみたいに言った。

ジャングルジムをつかむ手が汗《あせ》でじっとりするほど、ひなはうれしい。片手を伸ばして、そっと犬のおでこに触った。

名前がついてうれしいのか、犬はひなを見上げ、笑うみたいにはあはあ口を大きく開けた。

「よろこんでるよ、ハリー、いい名前だって」

「うわ」

ひなはびっくりした。女の子の声がすぐ後ろで聞こえたからだ。あわてて振り向いて、

「うわ」

もう一度びっくりした。

女の子の顔がすぐそばにあった。それも逆さまで。その子はジャングルジムの中で足だけで逆さまにぶらさがって、腕を組んでいた。

白い犬はびっくりしないで、女の子をうれしそうに見ている。

ひなは、どきどきの胸を押さえた。

「ほ、ほんと？」

それでも、はあはあ息が切れてしまう。

逆さまの女の子は、日なたのベンチに座ってるくらい普通に話した。

「こいつ、洗ってるうちに耳の中から、コインくらいの大きさのダニがぞろぞろ出てきてね。あんなのが耳の中に入ってたら、そりゃあだれだって、うなりたくもなるよ」

「うげ」

画面を想像しかけて、ひなは口を押さえた。でもすぐに勇気をふるって、その子に言った。

「あなたってすごいねー。あの必殺技もすごかった」

「まあ、そんなでも……あるかな」

逆さまのまま気取ってあごをひねったので、ひなは笑っちゃった。

女の子も笑って、ふたりは声をそろえて笑った。

やがて女の子は一回上に引っこみ、ジャングルジムから下りてきた。ひなと並んで、ジャングルジムの下からふたつめに座った。

「あれはね、カポエイラという技なの。ブラジルの、空手みたいなもんかな」

「かぽ……」

「エイラ、カポエイラ」

「ふうん、習ってるの？」

その子は、もさもさの髪をかいた。

「そう、ペドロから習ったの。ペドロって、前のベビーシッターの親せきの子よ。ベビーシッターのリッタに、リオデジャネイロへ連れてってもらったときに。

うち、そのころニューヨークに住んでたんだけど、カーニバルが近くなってリッタは、いても立ってもいられなくなったの。ムリないよ、だってリッタはサンバの女王なんだもん。そこで、うちはキングとクイーンにお願いして、リッタの実家に行かせてもらうことにしたの。そうすれば、リッタは思うぞんぶんサンバがおどれるし、うちはカーニバルが見物できるでしょ。でもそこでペドロが大変なことに……」

「キングとクイーン？」

ひなの目は、さっきよりもっと大きくなっていた。

その子はごく普通の口振りで言った。

「ああ、うちのおとうさんとおかあさんのこと。ふたりは、王族なんでしょうがないの。国ってったって、ちっちゃな島なんだけど。いちおう独立国だからさあ。ユンリウス＝ウンスペア＝ベスアドル＝ミルミル＝ルウブラン島っていうんだけど、めんどくさいからユン島でいいよ。すっごいいなかだから、うちはめったに帰らない。かわりに世界のいろんなところに住むの。国のおもな産業はアルミニウム。島のどこでだって、上等なアルミニウムがとれる。キングとクイーンは世界中にアルミニウムを売りに行かなくちゃいけなくって、とってもいそがしいの。そいで、リッタがうちのシッターをしてたわけ。っていうかうちも、プリンセスなんだけど。正式な名前はユンリウス＝ウンスペア＝ベスアドル＝ミルミル＝ルウブラン＝ベアトリーチェ姫ってんだけど、そんなにじゃらじゃらしてたら、毎日不便でしょ？」

プリンセスは、ひなを見た。

「だからうち、ただ『ゆん』ってよばれるのが好きなの」

だいぶ前から、ひなはただぽっかんと口を開けていた。

「で、あんたは？」

いきなり聞かれて、あわててぱくんと閉じた。それから腕を組んで、うんうん考えた。

「わたし、逆井ひな子……（なんて短い平凡《へいぼん》な名前なんだろう、と思った）……おとうさんとおかあさんのことは、おとうさん、おかあさんってよぶよ。おとうさんは美容師で、おかあさんは市役所におつとめしてて、ふたりとも帰りがおそいの。だからときどきえっちゃんが手伝いに来る。えっちゃんっていうのは、ほんとは悦子《えつこ》でおとうさんのおかあさん、つまりわたしのおばあちゃんなんだけど、ちょっとおっかなくて、おばあちゃんてよんだらぶっとばすっていうの。で、わたしは……たぶん、『ひな』ってよばれるのが好きかも」

「うわあ」

ゆんはぱちんと手をたたいた。

「うちらって、なんだかにてる、ひな」

ひなは首を傾げた。

「そ、そう……かな？」

「これからうちら、ニューヨーク式にあいさつすることにしない？」

「え、いいけど」

ひなは耳が熱くなって、笛のテストのときよりも胸がどきどきした。ニューヨーク式だなんて、四年生のひなにうまくできるだろうか。

ひなのどきどきに気がついたみたいで、ゆんはにっと笑った。

「だいじょぶ、むずかしくないったら」

右手をぐうにして、突き出した。

「ぐうとぐうを、ごっつんって、ぶっつけあうの」

ひなはあわててぐうをにぎって、ごっつんとぶつけた。

「そう、そいでこういうんだよ、オワチャッ！」

「おわちゃ……？」

「もっとはねるみたいな感じ、オワチャッ！」


ニューヨーク式がうまくいくまで、ひなとゆんは十四回もこぶしをぶっつけあい、三十八回は「「オワチャッ！」」と叫んだ。

そこまでやったら、ひなもすっかりうまくできるようになった。

「ひなはかなり、すじがいいよ」

ゆんはこぶしをさすりながら、ほめてくれた。

ひなもこぶしをさすりながら、思い出した。そういえば、聞きたいことがいっぱいあったんだ。うっかり忘れるところだった。

「ゆんはお城に住んでるの？　どうしてここにいるの？　家来とかいる？　ペドロは、どんなふうに大変だったの？」

ゆんはニューヨークっぽく肩をすくめて、手のひらを上に向けた。

「そりゃもう、ペドロはたーいへんだったのよ」

「ああーん」

ひなはもだえて、足をじたばた動かした。

「気になる気になる、ペドロ気になるう！」

「ひな子！」

後ろから、いきなり大声で呼ばれて、ひなはもうちょっとでジャングルジムの柵に頭をぶつけるところだった。

公園の入り口で、えっちゃんがぶんぶん腕を振りまわしている。

「おめ、あに道草食ってんだー、このこんこんちき！」

これは、えっちゃん語で「あなたはなぜ道草を食ってるんですか」という意味だ。「こんこんちき」はあんまりよくない意味かな。でも「せんこくしょうちのすけのこんこんちき」だといい意味っぽい気がする……どっちみち、ひなにはよくわからない。

「やばい、帰んなくちゃ」

ひなはジャングルジムから飛び出したけど、Ｔシャツのすそをぎゅっとにぎって立ち止まる。振り向いて、ジムを見上げた。

「また遊べる？　ゆん」

「もっちろん」

いつの間にかゆんはジャングルジムのてっぺんにいた。そこからサンダルの足をぶらぶらさせ、にっこり笑った。

「今日のところは帰んな帰んな、ことりちゃん。ま、家庭の事情っていろいろあるわさ。ペドロの家もまさにそうだったの」

「ああーん、気になる気になるよう……ばいばい」

ひなはほとんど泣きそうな気分で、家に帰った。


「学校を早引けした人が、外でほっつき歩《ある》ってったら、それはサボリってことなんだぞ」

お昼ごはんのスープをつぎながら、えっちゃんは怖い顔をした。

「ごめん」

ひなはまだ泣きそうな気分だ。ダイニングの椅子から足をぶらぶらさせる。

またキャベツのスープだ。まるで『チョコレート工場の秘密』に出てくる超貧乏《ちょうびんぼう》なチャーリーの家の「キャベツの煮汁《にじる》」だ、とひなは思った。ひなの家はそう貧乏でもないはずだけど、腎臓の病気用のごはんって、味がちっともしない貧乏くさいメニューが多いんだ。

えっちゃんは焼き立てのお手製丸パンに無塩バターをたっぷりはさんで、ひなに渡《わた》した。

「それはそうと、さっきの子、ひな子の友だち？」

「え？」

ぽこん、丸パンがお皿に落っこちてはずんだ。

落としたパンを拾うのも忘れて、ひなは椅子から立ち上がった。

「えっちゃん、あの子が見えたの？」

えっちゃんは片方だけ眉毛を上げる。

「はあ？　やたら派手なのがいたけど」

「ああよかった」

ひなは胸をなで下ろして、椅子に腰も下ろした。

「わたし、なんだかあの子、ほんとの子どもじゃないかもって思ってたの。わたしの頭の中で作った、うそっこの子なんじゃないかって。でも、だいじょうぶ。想像力のかけらもないえっちゃんに見えるんだったら、絶対にほんとの子だよね」

「あんだってー」

えっちゃんがバターナイフを振り上げたので、ひなはあわててパンをほおばった。

自分もパンをかじりながら、えっちゃんは向かいの椅子に腰かけた。

「けどまあ、友だちができてよかったじゃん、ひな子」

ひなはくるっと黒目をまわした。上目づかいでえっちゃんを見る。

「たまに遊んでもいいかなあ」

「うーん」

えっちゃんは、青いメッシュの入ったグレイヘアを耳にかけた。ピアスがきらんと光る。

えっちゃんって、ひなのおばあちゃんだけど、言葉づかいはおじさんみたいだけど、想像力はかけらも持ってないんだけど、かなりの美人なのだ。髪型だって、ほかのおばあちゃんたちみたいに結わえたり短くしてないで、女優さんみたいな背中まであるふわふわパーマだ。

「おしゃべりぐらいだったら、まいっか？　でも遊ぶのは、ちゃんと昼飯食ってから。それと、相手の子に病気のことをきちんと話しなさいよ。あんた自分で説明できる？」

「できる！」

その日珍《めずら》しく、ひなはキャベツスープをお代わりした。

Ⅲ 『カポエイラ村のペドロ』

次の日、お昼を済ませて公園に行ったら、ゆんがいた。

昨日と同じ服で、昨日と同じにジャングルジムの上で、足をぶらぶらさせていた。

ひなが駆け寄ると、ゆんも一気に飛び下りた。ふたりはぐうとぐうをぶつけあって、叫んだ。

「「オワチャッ！」」

あんまり上手に声が合ったので、同時にげらげら大笑いする。笑い転げながら、ベンチに並んで座った。

やっと笑いが収まり、ひなは、ゆんに腎臓の病気の話をした。運動したり疲れたりしてはいけないことを説明した。

ゆんはおとなしく聞いていた。ほかの子みたいに「ひなちゃん、かわいそう」とかは言わなかった。

話が終わると、くいっと親指を上げた。

「じゃあさ、ここじゃなんだから、うちの行きつけで落ち着いて話そうか」

「行きつけ」って、ひなにはよくわからなかった。けど、すんごく大人っぽい感じがする。

ゆんはすたすた歩いた。

ひなのよく知ってる道を通って駅へ行った。駅の階段を上って、切符《きっぷ》の自動販売機《じどうはんばいき》や改札口の前を通っていく。

左右を見渡しながら、ひなはその後ろをついていく。子どもだけで駅に来ることはほとんどない。駅の向こうへはなおさらだ。

駅を越《こ》えて反対側の出口を出たゆんは、やっぱりすたすた進む。駅前ロータリーを過ぎ、脇道《わきみち》へ向かう。

入り口を見上げて、ひなは大きく息を吸った。

「しあわせ横丁……だ」

ちょっと、緊張《きんちょう》してきた。

しあわせ横丁は線路沿いにある。学校とか家で「行ってはいけません」と言われてるわけではない。家族と車で駅向こうへ出かけてロータリーをまわるとき、入り口を見かけることはある。そんなときは別になんとも思わない。

でもひなは、子どもだけでここに来たことがなかった。

横丁の入り口にはピンク色の門がある。そのてっぺんにはピンクの字で「しあ○せ横○」という看板がかかっている。ずっと昔に、字が取れちゃってそのままな感じだ。噂《うわさ》はたまに聞く。夜は酔《よ》っ払《ぱら》いがたくさんいるとか、〇〇ちゃんのおとうさんが財布《さいふ》を盗《と》られたとか……嘘《うそ》か本当かわからないけど、ひなはそういうのを思い出した。

でもゆんの歩き方は、近所の公園のときと変わらない。すたすた門をくぐる。

怖がりの子だって思われたくない、ひなはその心だけでピンクの門をくぐって、しあわせ横丁へ入った。

車がぎりぎり通れるくらいの細い道の両脇には、お酒を飲む用の小さなお店がごちゃごちゃくっついている。明るい昼間の今は、お店のシャッターはみんな閉まっていて、歩いてる人もいない。たまに電車がお店の後ろを走るときだけ、がたんがたんとうるさいけど、通り過ぎればしんとする。空気には、お酒とか、かまぼことか、花火みたいな匂いが染《し》みついている。

「あ」

顔を上げて、ひなは声を出した。

あの白い犬、つまりハリーが道路の上で寝ていた。ゆんとひなが近づくと首を上げた。しっぽを二回だけ振って、また寝ちゃった。

ハリーの後ろに黒い木のドアがあった。看板がないけど、ここもお店らしい。

ひなはちょっと見とれた。ここだけ、しあわせ横丁じゃないみたい。

地味だけどきれいなお店だ。木のドアも、小さな窓ガラスも、ドアと窓の間の壁《かべ》に吊《つ》るされたランプも、つやつやに磨《みが》きたてられていた。これって新美南吉《にいみなんきち》の『おじいさんのランプ』に出てきたあのランプだと、ひなは気がついた。さし絵では見たことあるけど、本物は初めてだ。

ひなが見とれている間に、ゆんはハリーをひょいっとまたいでドアを押した。

ひなもはっとして、よっこらせっとハリーをまたぐ。お店のドアが小さくてハリーが大きいので、またがないと入れないのだ。

ドアが開くとちりん、とかすかに鈴《すず》の音がした。

中の空気は外と全然違う。薬みたいな不思議な匂いだ。さわやかでいい匂いだけど、おはなしの『アナンシと五』みたいに、魔女が大鍋《おおなべ》で薬草を煮てたらどうしよう……と勝手に想像してしまって、ひなはちょっと震えた。ゆんの背中のシャツをぎゅっとにぎる。

そのままくっついてお店に入った。

最初は、真っ暗に思えた。

でも、だんだん見えてきた。さっきの小さな窓から、外の光が差しこむ。中は狭い。細長いカウンターに丸い椅子が五つあって、それで全部だ。

ゆんはひなを振り向いて笑った。

「こわいんでしょ？　ひな」

「こわくなんか……」

ひなが言いかけたとき、向こうでかたりと音がした。

「きゃあ」

悲鳴を上げて、ゆんの背中にしがみつく。

カウンターの奥で、何か動いた。

「あっはっはっ、まったく、ひなったら、ことりちゃんなんだから」

ゆんは笑って、ひなの手をとんとんたたいた。

ひなは真っ赤になって、ゆんから離れた。今までの努力もむなしく、もう完全に怖がりの子だって思われた。

出てきたのは魔女ではなく、メガネをかけた若い男の人だった。黒い髪をきちっとなでつけ、黒いベストに白いシャツ、黒い蝶ネクタイをつけている。幽霊《ゆうれい》みたいに白くてほっそりしている。

この人も、ひなのまわりにはいない感じの人だ。

どきどきしたけど、ひなはゆんに気づかれないように、普通っぽい顔をした。できてるかどうかはわからなかったけど。

メガネの男の人は静かに言った。

「いらっしゃいませ、ゆんさま」

「いらっしゃいました」

ゆんは平気で丸椅子に腰かけた。

すごい、まるで大人みたい。これが「行きつけ」の実力か。

まだ怖がりだと思われたくなくて、ひなも隣《となり》の椅子に座った。

ゆんはカウンターにひじをつき、親指で男の人を指さした。

「ひな、ファンだよ。台湾《たいわん》から来たの」

くるっと手首を返して、ひなを指さした。

「ファン、ひなだよ。駅向こうから来たの」

「ようこそいらっしゃいませ、ひなさま」

ファンがお辞儀《じぎ》したので、ひなもあわてて言った。

「い……いらっしゃいま、した……ファンさま」

「何か召《め》し上《あ》がりますか？　ひなさま。スイカの種はいかがです」

きれいな日本語だったけど、その顔はやっぱり幽霊みたいに無表情だ。台湾って、たぶん外国だと思うけど本当はどうなのか、ひなははっきり知らない。

ゆんは口をとんがらかせた。

「ファンのけちんぼ、ココナッツケーキとか、エッグタルトとかないの？」

ひなはあわてて手のひらと首を、ぶんぶん横に振った。

「わたし、外ではなにも食べられないの。じんぞうの病気だから」

「ふうん、そっかー」

ゆんはたこちゅーの顔をした。

「では、ひなさま、お茶は大丈夫《だいじょうぶ》ですか？」

ファンはとても丁寧《ていねい》だったので、ひなは、まるで自分が大人のお客さまになった気がした。ここってすごく高級なお店みたい。お財布の入ったポケットを、外からぎゅっと押さえた。

「は、はい……あっと、でも……」

ひなは、子どもだけで食べ物屋さんに入ったことがなかった。

「お茶か水なら飲んでもいいの……です……でも、わたし二百円しか持ってこなかった……です」

おどおど答えると、ファンはメガネの奥の目をかすかに細めた。

「ご心配無用です。ゆんさまのお友だちなら、ごちそういたします」

カウンターの内側に、ぼんやりだいだい色の明かりがついた。

ゆんが丸椅子の上にひざをついたので、ひなもそろそろと同じかっこうになって、カウンターの中をのぞいた。

中は小さなキッチンになっていた。流しとこんろがある。木でできた台にのった、おままごとセットみたいなものもある。急須《きゅうす》や、小さな湯呑《ゆのみ》や、何に使うのかわからないいろんな形の道具が見える。

ファンの白い手はてきぱき動いた。ポットに水を入れてこんろにのせた。ぽっと音がして、くっきり青いガスの炎《ほのお》が灯《とも》る。

今気がついたけど、ファンの後ろの壁は全部棚だ。赤いラベルの大きな缶《かん》が数えきれないほどたくさん並ぶ。

ファンはそこから缶をひとつ取り、すっぽんとふたを開ける。ピンセットで中から黒い塊《かたまり》を出した。そこらの雑草をぼさぼさ丸めて干からびさせたような、おかしな塊だ。それをふたつ、コップの上にセットした丸い網の上に置いた。

確か「お茶」って言ったよね？　と、ひなはかすかに不安になる。えっちゃんもお茶をいれるけど、えっちゃんは緑のお茶っぱを急須にさらさらいれる。こんなのじゃない。

ポットがしゅんしゅんいいだした。

ファンはポットを取り上げ、少し振って様子を見る顔になる。それから、お碗のような陶器にお湯を注いだ。

白い手の動きが面白くって、ひなは目が離せない。

ファンはポットを置き、陶器のお碗を取り上げる。中のお湯を網の上の黒い塊へかけた。

「何してるんだろう」

ひなはひそひそ声でつぶやく。

「面白いでしょ」

ゆんもひそひそ声になって笑う。

「いっつもこうなの。あっちの入れ物にお湯を入れて、そいでこっちの入れ物に移しかえて。その回数ややり方は、ファンの頭の中にあるらしいんだけど、なんのためかはよくわかんない」

「理科のじっけんみたいだね」

「じゃあ、ファンははかせってとこだ、お茶はかせのファン」

ひそひそくすくす話すふたりなんてまるでいないみたいに、ファンは真剣な顔でお茶の実験を続けていたが、つと顔を上げた。

「少し下がって、お嬢《じょう》さまがた。火傷《やけど》をせぬよう」

丸椅子の上にひざをついてのぞいていたふたりのお嬢さまがたは、ちゃんとお尻で座り直した。ゆんはカウンターを両手でつかみ、できるだけ胸を張って、背中を後ろにそらした。まるで水上スキーをしてるみたいだ。

ひなもまねして、背中をそらせた。

ファンは再びポットを取り上げ、別の陶器へお湯を注いだ。だんだん腕を大きく動かし、ポットを上げたり下げたりする。ポットの細い口から出るお湯は紐《ひも》みたいに見えた。伸びたり縮んだり、くにゃくにゃ空中で曲がる。まるで、透明《とうめい》で暴れん坊の蛇《へび》だ。

でも一滴《いってき》たりとも、お湯は外にこぼれなかった。暴れん坊の蛇はみるみる小さく折りたたまって、青い模様の陶器へ収まった。もちろん、ひなもゆんも火傷なんてしない。

ことん、ことん。

ふたりの目の前に、大ぶりなグラスが置かれた。細長い形で片側に持ち手がついてて、えっちやんがビールを飲むときのジョッキみたい。

ぽとん、ぽとん。

さっきの黒い塊がひとつずつ、ピンセットでジョッキに落とされる。

ファンは青い模様の器を持ち、そろそろお湯を注ぐ。ふたつのジョッキはいっぱいに満たされた。

ジョッキの中はまるで水族館だ。ひなは水上スキーをやめ、顔を近づけてのぞいた。

「おお？」

黒い塊がむずむず動き出し、くるんと一回転した。

ぽこっ、ぽこっ、ぽこっ。

塊の中から黄色いものが三つ飛び出した。

「わあ」

思わず声を上げてしまった。

黄色いものはお湯の中で広がり、三つともみるみるきれいなお花になった。水中で風に吹《ふ》かれるみたいにさやさやなびく。あたりは、すっとするいい匂いでいっぱいだ。

ファンは、小さな銀色の砂時計を横に置くと、

「菊《きく》の花のお茶です。砂が落ちきったら飲みごろです。どうぞごゆっくり」

奥の部屋に引っこんでしまった。

窓からの光の中で、ジョッキから上る湯気がゆらゆら揺れた。

菊のお茶は薄緑色で、やさしい味がした。お花が唇《くちびる》にくっつくので、ちょっと飲みにくい。でもそのせいでちょびっとずつ飲むから、心も体もゆったりする。

外で「でーでーぽっぽー」とハトがのんきに鳴いて、ときたま、電車ががたごと通り過ぎる。

すっかり、のんびりモードだ。

「あれ？」

ひなはちょっと首を傾げた。なんか忘れてる気がする。うーんと考えて、

「あ、そうだ！」

大声を上げた。

隣のゆんがちょっとびくっとした。

「どしたの、ことりちゃん」

ひなはちょっと顔を赤くして、指の先っちょでゆんのTシャツを突っついた。

「あのさあ……そいで、ペドロはどうだったの？」

「ああん、カポエイラ村のペドロね」

ゆんは黄色の花びらを口の端にくっつけている。ぺろんとなめとってから、話しはじめた。

『カポエイラ村のペドロ』

「うちのベビーシッターのリッタは、そりゃあ美人なの。はだはあかがねのように赤く、髪はチョコレートソースみたいなブラウン。ウエストは手でつかめるくらい細いのに、おっぱいは一個ずつがドッジボールくらい大きいの。いつも陽気な歌を歌っている。こないだいったとおり、カーニバルが近づいて、いても立ってもいられなくなって、うちもいっしょに、ブラジルに帰ることになったんだ。

　まず、リオでカーニバルに参加したの。カーニバルって、ものすごいお祭りだよ。リッタはそりゃあきれいだった。あれはとても口では説明しきれない。ひなもいつかは、きっとリオのカーニバルに行くべきよ。

　お祭りが終わってから、リッタはふるさとに帰ることにしたの。これがたーいへん。だって、ニューヨークからリオまでよか遠いんだもん。列車で五時間、バスにのりかえて四時間。これで着いたと思ったら大まちがい。バスをおりたらリッタの兄さんと、三頭のロバが待っていたの。二時間かかってやっと着いた。うち、これよりへとへとになったことなんかなかったと思う。ロバを下りてからもおしりはぼこぼこゆれていたしね。着いたのはもう夜だったので、うちもリッタもすぐにねちゃった。

うちはふと目をさました。

あたりはまだ真っ暗だったけど、起きだしてまどから外をながめた。

ここはジャングルの真ん中の村で、まどの向こうも真っ暗。

ときどき、ほうーほうーって、鳥かけものの声がひびいたけど、うちが聞いたのはそれじゃなかった。

それはたしかに音楽だった。また聞こえた。

ヴァイオリンの音だ。

となりのリッタがぐっすりねむっているのをたしかめてから、うちはそっと小屋を出た。

真っ暗だから、足もとに気をつけなくっちゃね。小屋は高い木の上にあって、はしごで上り下りしなくちゃなんないの。ジャングルにいるもうじゅうが上がってこないように、村じゅうの家がそういう作りになってるんだ。

ヴァイオリンの音色はかすかだけど続いている。

うちはできるだけ音をさせないように、ジャングルの小道を進んでいった。

すると、ぽっかり木のはえていないところに出た。広場みたいになってるの。雲が晴れて、月の光がスポットライトになって広場の真ん中を照らした。

そこに、男の子が立ってた。

まっ黒の巻毛とあかがね色のはだはリッタとおんなじ。でも、背が低くてふとっちょで、絵本に出てくるこぶたちゃんみたいなシルエットなんだ。

ヴァイオリンをひいていたのは、その子だった。

ふしぎなんだけど、聞いてるうちに、その姿がだんだんカッコよく見えてきた。

すっごくきれいな音だった。きれいなだけじゃない、まるで最上等のベルベットにくるまれるような、うっとりした気分になるの。

ニューヨークじゃ、同じアパルトマンにヴァイオリン教室があって、子どもがたくさん通ってるの。けど、そこのどの子ともくらべものになんないくらい、こっちのほうが上手だった。

うちは息をひそめて、木のかげから見ていたんだけど、そのうち、なんか変だなあって、思い出した。まちがい探しの絵を見てるみたいな感じ。

やっと気がついた。これはけっこう重大なまちがいポイントだよ。

男の子は、ヴァイオリンを持っていなかった！

その子、ヴァイオリンを持ってるふり、ひいてるふりをしているだけだったの。そして、ヴァイオリンそっくりに口で歌ってたの。

歌っていうか、口ぶえっていうか、よくはわからなかったけど、とにかくヴァイオリンそっくりの音だった。パガニーニが聞いたって、きっと気がつかなかったでしょうね。

なんでだかわかんなかったけど、うちはその子に声をかけなかった。じゃましちゃダメな気がした。音を立てないようにてってい的に気をつけながら、そっと小屋に帰った。

朝になったらお祭りさわぎ。

カーニバルのころには、リオから遠くはなれたリッタの村でもお祭りをするんだ。お祭りだから、お祭りさわぎなのは当然だよね。

村の全員が、リッタの親せきなんだ。リッタのきょうだいが十三人、いとこ・はとこがその八倍、おいっこ・めいっこまでいるから、そこらの学校よか、たっくさんの子どもがいるの。

だから、うちがひとりふえようが、だれも全然気にしない。むかしからそこにいるみたいだった。みんなでそろって川で水浴びしたり、ごちそうを作ったり食べたり、リッタのゴージャスでちっちゃなサンバのいしょうをないしょで着たり、とにかく大いそがしで楽しかった。

カポエイラ大会のじゅんびもあるしね。

リッタのおとうさんは、村長さんでカポエイラの先生なの。この村のほんとの名前なんてだれも知らない。カポエイラ村ってよばれるくらいカポエイラがさかんで、お祭りのときはいつでも大会が開かれるの。男どものだれが何番目に強いかを決めるんだよ。

大きなたいこや、弓矢みたいな楽器を打ち鳴らしながら、みんなでわを作ってにぎやかに試合をするんだ。

その中に、うちはあの子を見つけた。

ハイテンションでじゅんびや練習をしてる男の子たちにまじって、うかない顔でたいこのひもをむすんでいた。

　うちはリッタにいったの。

『あの子、あんまり楽しんでないみたい』

　リッタはちらっと見てから、ため息をついた。

『一番上の兄さんの息子、つまり甥《おい》っ子《こ》のペドロよ。きっと大会が怖いのよ。あの子はいっつもビリだから、兄さんたちはおろか、小さい弟たちからもからかわれるの。ゆん、友だちになってくれるかしら？』

『もっちろん』

　そこでリッタは、うちをペドロのところに連れてって、こういったの。

『ねえペドロ、ゆんにカポエイラを教えてあげて』

　ペドロは目を真ん丸に開いて、リッタとうちを見上げた。それから、もっとうかない顔になった。

『なんでぼくなんだよ。ビリのぼくにわざわざ……』

　リッタは意地悪そうな顔になった。リッタはいつもは天使みたいにやさしいんだけど、意地悪くしようと思えば、あくまぐらい、うんと意地悪ができるんだから。

『あーらじゃあ、あんたレオのお相手のほうがいいのね？　レオったら、ペドロはどこだあって、探しまくってたわよ。きっと、すてきな練習台にしてくれるでしょうよ。なんてったってあの子、寸止めが下手で、すぐ相手の向こうずねをばきぼき折っちゃうんだから』

ペドロの顔色がさっと変わった。すぐさま立ち上がって、うちの手を引っぱった。

『さあ、ゆん、向こうで練習しよう。きそからていねいに教えてあげる』

『カポエイラで一番大切なのは、リズムなんだ』

まず最初に、ペドロはステップを教えてくれた。このステップは、ジンガっていうの。

まるでサンバをおどっているみたい。右に後ろに、左に後ろに、ワッツー、ワッツー、ワッツーって、体を動かすだけでわくわくする。おかげで、うちはカポエイラがすっかり気に入っちゃった。

ペドロはとても身軽で、さか立ちやそく転、キックやバック転なんか、すごいわざをかるがるやってみせる。

この子が一番ビリなんてとても信じられなくって、うち聞いたの。

『ペドロは、カポエイラ好き？』

ペドロはたちまち暗い顔になっちゃった。

『もちろん好きさ。カポエイラは戦いなんかじゃない、美しい芸術だ。ダンスでもあり、音楽でもあり、お祈《いの》りでもある総合芸術なんだ。ほんとは勝ち負けを決めたりしちゃいけないんだ……だから』

『だから？』

ペドロの口をわらせるのは、大変だった。カポエイラの練習よりずっと時間がかかったの。ようするに、ペドロは戦うことが好きじゃなかった。人をけるのも、自分がけられるのも好きじゃなかった。

でもこの村の男どもはみんな戦いが大好きで、そんなペドロをおくびょう者とか女男とかいって、いじめるみたいなの。

ペドロはしょんぼり、真ん丸のひざをかかえた。

『ゆんだって、ぼくを女みたいだって思うだろ？』

うちはいってやった。

『戦いがきらいだからって、なんで女みたいなの？　うちの友だちのロージーは空軍パイロットで、くんしょうを持ってるんだよ。ロージーが今、ヨコタにいてラッキーだったね。もし、彼女《かのじょ》の耳にそんな言葉が入ったら、この村の男ども全員、きっと無事ではすまない。彼女、総合かくとうぎの使い手でもあるんだから』

ペドロはほんのちょびっとわらったけど、また悲しそうに下を向いた。

『でもこの村じゃ、戦いを好まない男は弱虫で、ダメなヤツっていわれるんだ。おじいさんもとうさんも兄弟たちもぼくのことじゃあ、いっつもがっかりしてるんだ』

うちはこしに手をあてて、ペドロを見下ろす。

『あんた、戦いよりも、きれいなものが好きなんでしょ。たとえば……ヴァイオリンとか』

ペドロはびくっと、一回大きくひきつった。それから、フリーザーに入れられたみたいに、がたがたふるえだした。

『きききみは……み見たの？』

『まあね。でも、気にすることないよ。とっても、すてきだったもん』

せっかくほめたのに、ペドロはうちにとびかからんばかりになった。

『おねがいっ、だれにも、だれにもいわないで。ヴァイオリンなんていったら、おじいさんは……とうさんは……』

うちは目をぱちくりした。

ペドロを落ち着かせて、うちがつげ口なんかしないって教えるのに、ずいぶん時間がかかった。この子と話すのって、けっこう骨がおれるって。

『ねえ、ペドロは本物のヴァイオリンをひきたい？』

ペドロは口では答えなかったけど、答えは簡単にわかった。彼《かれ》の黒い目の中には、くっきり太い字で『ひきたい！　ひきたい！』って、書いてあったんだから。もちろん、ポルトガル語でね。

『じゃあ、うち、村長さんにいってみる。うちをお泊《と》まりさせてくれたお礼に、ペドロをニューヨークにごしょうたいしたいって。あんた、うちのアパルトマンのヴァイオリン教室に入ったらいいよ。うんとうまい子は、月謝がいらないの』

ペドロはまだがたがたふるえている。

『でも……ぼく本物のヴァイオリンには、さわったこともないんだよ。テレビで見ただけなんだ』

うちは自信まんまんで、むねをぽんとたたいた。

『だいじょうぶ。あんたにはきっと才能がある。あの音色を聞いたらだれにだってわかることだって。カポエイラできたえたリズム感もあるし、きっと上手にひけるって！』

うちがうけおったのに、ペドロはまだ自信なさそうだった。

『でも……』

がまん強いうちもさすがにまいっちゃって、うっかりどなっちゃった。

『ペドロ、あんたいったい、ヴァイオリンが好きなの？　きらいなの？　はっきりいいなさい！』

『…………好き』

まったく、カの鳴くような声ってあのことね。でもちゃんと意見をいったんだから、ペドロはえらいよ。

っていうわけで、うちは村長さんにたのんだ。ヴァイオリンのことはいわずに、ニューヨークにはギャングもいるから、弱虫のペドロもきっと強くなりますよ、っていっちゃった。

ほんとはうち、ギャングなんて一度も見たことなかったんだけどね。

村長さんは大よろこびで、ニューヨーク行きをゆるしてくれたの。

うちの思ったとおり、ペドロには才能があった。

そのうえうんと努力したもんだから、たった三年で、世界的なヴァイオリニストになっちゃった。今でも弱気で、ステージ以外の場所ではびくびくしてるけど、世界中の人からきゃーきゃーいわれてるんだよ。今度テレビに出るときは教えるから、ひなにも絶対見てほしいな。

もちろん、今じゃ村長さんも兄弟も、ペドロを弱虫だなんていわなくなった。リッタの手紙じゃ、毎日ペドロのじまんばかりしてるんだってよ。それから、村の子どもはみんな、カポエイラとヴァイオリンの両方を習うもんだから、村は今じゃ《カポエイラ＝ヴァイオリン村》ってよばれてるんだって。

めでたし、めでたし」

ゆんは一息つくと、ジョッキをつかんで残りのお茶を飲み干した。

ひなはぶるっと一回震え、それからふうーっと息を吐《は》いた。おいしいお菓子《かし》をたっぷり食べたみたいな気分だった。

「よかったね、ペドロ」

ひとり言のようにつぶやいたひなも、ジョッキを手に取る。冷たくなったお茶の残りを飲み干した。

あんなにきれいだったお花はすっかりくちゃくちゃだ。お味《み》噌《そ》汁《しる》のわかめみたいにジョッキの内側に貼りついてる。

「お湯を差しましょう」

いつの間にか、カウンターの内側にはファンがいて、ふたりのジョッキを取り上げた。

もう一度、そろそろお湯を注ぐと、菊の花はゆらゆら元通り、きれいに復活した。

熱いお茶をお腹に入れると、ほんわかして胸のどきどきが静まっていく。ほっと目を上げれば、窓の外はだいぶだいだい色だ。

「うわ、もう夕方だ」

ひなは丸椅子から飛び下りる。振り向いてファンにぺこっと頭を下げた。

「ごちそうさまでした。おいしかったです」

ファンはメガネの奥の目をかすかに細めた。

「どうぞ、またいつでもおいでください」

手をつないだふたりの影が、地面に長く伸びる。

ひなとゆんは公園までもどってきた。

ゆんは手を離す。

「うちら、今日はここでばいばいしなくっちゃ」

「また遊べる？　ゆん」

聞いたあとから、ひなの胸はどきどきした。

「もっちろん」

ゆんは笑って、くるんと身をひるがえした。

それから、てけてけてけってて、駆けていっちゃった。

Ⅳ『きょうふのショーロンポー』

ひなはほとんど毎日、ゆんと遊んだ。

病気になる前には、ひなもクラスや学童の子と遊んだ。そのときは、向こうの子のおかあさんとひなのおかあさんとの間でメールかなんかで相談して、いつどこで何して遊ぶか決めてから遊んだものだ。

でも、ゆんはそういう子たちとは全然違う。携帯《けいたい》も持ってないし、キングとクイーンはアルミニウムを売りに世界を飛びまわってる。遊んだ終わりに次の約束もしない。

一度、ひなは聞いたことがあった。

「次、遊ぶ時間と場所を決めとく？」

ゆんは人差し指を立てて、左右に振った。

「ちっ、ちっ、ちっ、ことりちゃん、そんなかたくるしいのはごめんだよ。うちはなにより自由を愛するの」

そう言われれば、ひなに返す言葉はない。

公園に行くまでの道のり、ひなはいつもどきどきした。ゆんはもういないんじゃないかって、思ってしまうのだ。

だから、いつもの派手な姿のゆんが、ジャングルジムの上で足をぶらぶらさせているのを見つけるたんびに、胸に手を当ててほっと息をつく。

安心とうれしさにひなは思わず駆け足になって、ゆんはジャングルジムから飛び下りて、

「「オワチャッ！」」

ニューヨーク式に挨拶を決める。

ファンの店でお茶を飲みながら、ゆんはいろんな話をしてくれた。

ひなの目には、ゆんはきらきらした光に包まれて映った。

まったく、ゆんほど多くの外国に行ったことのある子なんて、ほかにいないだろう。世界を広く見るために、キングとクイーンは、ゆんをいろんな国に住まわせることにしているのだ。

アメリカのニューヨーク（ギャングはいなかった）、チュニジアのチュニス（ロバがたくさんいる）、ポルトガルのリスボン（甘《あま》いお菓子がいっぱい）、インドネシアのジャカルタ（犬がたくさんいる）、ベトナムのホーチミン（バイクがたくさんある）、ノルウェーのオスロ（かもめがたくさん）、アルゼンチンのブエノスアイレス（お肉食べほうだい）、ガーナのアクラ（チョコ食べほうだい）……。

家に帰ったひなは、おかあさんに世界地図を買ってもらって、自分の部屋の壁に貼った。ゆん

のおはなしに出てきた国や街を探して、ピンクの蛍光《けいこう》ペンで丸をつけた。世界はまんべんなく、ピンクの丸だらけになった。

　こんなにすごい子っていない、とひなは何度もため息をついた。


　梅雨《つゆ》に入ったはずなのに、その日はもう夏みたいなかんかん照りで、ゆんとひなは砂漠で遭難《そうなん》しかけた探検隊のようにだらだら汗を流し、ひいひい息をつきながら、ファンの店にたどり着いた。

　店の前に赤ちゃん用のバスタブが置いてあって、ハリーがすっぽりはまっていた。あんまりすっぽりはまり過ぎててよくわからないけど、水が入っているらしい。

　ふたりに気がついて、ハリーは頭を上げた。笑った顔ではあはあべろを見せたけど、すぐにバスタブの縁《ふち》にあごをのせてうっとり目を閉じた。涼《すず》しそう。

「いらっしゃいませ」

　お店の中はひんやりしていて、探検隊は命をとりとめた。

「ファン、とにかくなんか冷たいの、きんきんなやつちょうだい」

　ゆんが注文したのに、ファンはポットをこんろにかけた。

　出された小さなグラスには、ほかほかの薄緑色のお茶が入っていた。

「ぶう」

ゆんは汗だらだらの真っ赤な顔でにらんだけど、ファンは素知らぬ顔だ。

ひなも、氷の入ってるお水をごくごく飲みたかった。でもファンに悪いから、グラスをとってふうふうしながら飲む。

その二口目を飲みこんだとたん、体の中に、すうっとミントの風が吹いた気がした。気がつけば汗はすっかりひいて、お腹も背中もひざの裏までさらさらだ。

ゆんの顔も赤みがひいて、洗ったあとみたいにさっぱりしている。

空《から》のグラスを置くと、すかさず茶色の急須と小さな湯呑が出てきた。

その隣に銀色の砂時計を置いて、

「砂が落ちきったら、飲みごろです」

いつものように、ファンは奥へ引っこんだ。

ゆんは、ひなの耳もとに手をやりささやく。

「ねえねえ、ファンがこわいものってなんだと思う？」

お茶の湯呑をかかえ、ひなは首を傾げる。

「えっと、むかでとかゴキブリ？　地しんかみなり？　それとも、香水《こうすい》のきついにおいとか、よっぱらいのおじさん？　わたしは自動車のにおいがきらい……だって、よっちゃうから」

「ううん、そのどれでもない。ファンがこわいのは、」

ゆんは笑いながら、ひなに顔を近づけた。

「シアオ・ロン・パオ」

「しゃ、しょ……なにそれ？」

鼻と鼻とがくっつきそうだ。ひなはどきどき背中をそらせた。

「台湾の、ちっちゃな肉まんていうか、シュウマイっていうか、その中間かな。こんくらいの」

人差し指と親指で輪っかを作って見せた。

「口に入れたとたん、中からスープがいっぱいあふれてくるの、台湾では『シアオロンパオ』、こっちでは『ショーロンポー』っていうんだっけ？　あつあつよ、はふはふ」

まるで今食べてるみたいに、ゆんは手で押さえて口をもぐもぐさせた。

さっきお昼を食べたばっかりなのに、ひなのお腹はぐうと鳴りそうになる。

「おいしそう」

「すんごく、おいしいよ」

ゆんはもうひとつはふはふほおばった。

「おっと、スープがこぼれちゃう」

ひなは手を伸ばす。

「わたしにもちょうだい」

「はいどうぞ、やけどしないようにね」

ふたりははふはふ、何個も透明なショーロンポーを食べた。食べながら、くすくす笑いがもれてくる。

「でもファンは、こんなのがこわいの？　変なの」

「そう、もしここにショーロンポーがあったら、歯をがたがた鳴らして、戸だなの一番てっぺんまでよじ登ると思うな。ウィーンの貴婦人が、オペラハウスでねずみを見つけたときみたいにね。あのときは、おとなりのしんしのはげ頭のてっぺんだったけど」

想像して、ひなは口を押さえて笑うのを我慢《がまん》した。はげ頭より、ファンが怖がってる姿のほうがずっとおかしい。

ゆんはすっかり涼しい顔でお茶をすすった。

「これには、ふかーいわけがあるのよ。聞きたい？」

ゆんのてっぺんによじ登りそうなぐらいの勢いで、ひなは身を乗り出す。

「聞きたい！　聞きたい！」

『きょうふのショーロンポー』

「台湾の台北《タイペイ》に、ひょうばんのショーロンポーのお店がある。

ひょうばんがひょうばんをよんで、そりゃあ、すごい人気。お店の三ブロックも前からお客さんがならんでいて、すぐそばに来てもお店が見えないくらい。うずを巻くみたいにお客さんがお店を取り囲んでいたからよ。

うちは、陳大人《ちんたいじん》に連れてきてもらったんだ。ちゃあんと予約を入れてね。おかげで、ならばないですぐに食べられたんだけど。そうじゃなかったら、きっと三時間は軽く待たされたよね。

おいしかったなあ……うち、百個ぐらい食べちゃった。そこのお店のショーロンポーはスープがねっとりしていて、おいしい味が口の中で長ーく続くの。お昼に行ったら、きっと夜まで幸せな気分でいられるんだ。


その次の日、朝早く、うちひとりで街をさん歩してたの。

台北の朝ってすてき。

その朝はきりがかかって、街はすっぽりミルクにつかってるみたいだった。公園でたいきょくけんをするおばあさんたちや、おかゆの屋台やなんかがとってもきれいに見えた。

きのうの、ショーロンポーのお店の前を通った。

さすがに、お店があくまでまだ数時間あるので、お客さんはひとりもならんでない。

おかげでお店がちゃんと見られた。なかなかりっぱな建物で、かんばんなんかも大きかったよ。

うち、探検の気分になって、お店の裏にまわったの。

お店の裏にはごみを入れた大きなバケツがいっぱいあったんだけど、とてもきちんとしていたので、くさくもきたなくもなかった。

　ふっと気配を感じて、うちは向こうを見た。

声を上げそうになって、どうにか自分の口を押さえた。

ごみバケツの向こうに、あやしい黒いかげがあったからよ。黒いかげはうちが見てるのも知らないで、ごみバケツの中をごそごそ探ってる。ノラ犬とか、カラスじゃない、人間の男だった。

うちはカポエイラのかまえになった。じりじりかげに近づき、さけんだ。

『なにしてるの！』

　黒いかげはびくんとして、ごみバケツのかげにかくれた……たぶん、かくれようとしたんだと思う。

　でもつまずいて、がらがらがらん、って大きな音を立ててひっくり返った。

たおれた男はずいぶんみじめなカッコだった。ぼさぼさの髪、首ののびたシャツに穴だらけのズボン、足ははだし。自分の手足の使い方がよくわかってないみたい。起き上がろうとじたばたしてる。

　うちはかわいそうになった。ごみの中でもがいてる男の手を引っぱって、起こしてあげようとした。

　そこへ、いきなりお店の裏口が開いて、太ったコックが出てきたの。うちらを見るなり、大きな四角いほうちょうをふり上げた。

『こら、ドロボー！』

うちはびっくりぎょうてん、なにがなんだかわからないうちにかけだした。

ひなだって、台北の裏町で画用紙くらいでっかいほうちょうを持ったコックに『ドロボー！』ってどなられてみればいいよ。きっとうちと同じに、パニックになってかけだすしかないっつうの。

そこで、うちはかけた、かけた、かけた、息が切れて足が止まるまでかけまくった。

止まったところは、広い公園だった。

うちはベンチにすがって息をはあはあさせた。どうやら、コックは追いかけてこないみたい、あーよかったとほっとしてから、また、びっくりしたの。

うち、まだあの男と手をつないだまんまだったから。

男はうちよかずっと苦しそうに、はあはあ息をしていた。

うちは、あわてて手をはなして、ちょっと考えてから聞いてみた。

『ねえおにいさん、そこのお店で、うちと朝ごはんつきあってくれない？』

男はきっと、おなかがすいてるんだろうって思ったから。目の前にいいにおいさせてる、おかゆと揚《あ》げパンの屋台があったし。

けど、男はあわてて立ち上がった。レディの申しこみをことわって、たよりないふらふらの足どりで歩きだした。

見てたら、とちゅうで一度つまずいて転びかけ、がいとうのポールにもろにぶつかった。

見ててはらはらしたけど、なんとか立ち直って、きりの向こうへ消えていった。


それから何日かしたあと、うちは陳夫人に、娘《むすめ》のクリスといっしょに別のお店に連れて行ってもらった。


ショーロンポーとお茶のお店なんだけど、こないだとは全然ちがって、おんぼろですいてた。

ところが、お茶を一口飲んでびっくり、こないだのお店の十倍はおいしいの。

うちがそういうと、夫人はにっこりした。

『まあ、ここのお茶のおいしさがわかるなんて、ゆんは私の同志だわ』

有名な陳大人の夫人が来ていると聞いて、店の主人があいさつに出てきた。

陳夫人はお茶をほめ、太っちょの主人はとってもうれしそうだった。

夫人と主人が話している間、クリスはこっそり、うちにささやいた。

『でも、ショーロンポーはイマイチよね』

『まあ……ね』

うちらは目を合わせて、くすっとわらった。

『あら、お茶がないわ』

陳夫人はゆうがな手つきで、きゅうすのふたをきゅうすの上に立てた。これは、『お湯のおかわりをください』って意味なのよ。

主人がぱんぱんって手をたたくと、白いうわっぱりを着たウエイターがお湯を持ってきた。その顔を見て、うちははっとした。

そう、こないだの男だったんだ。服も髪もきちんとしていたけど、歩き方を見たらすぐにわかった。大きなやかんを持って、テーブルにぶつかりそうになりながら、ふらふらしてる。

うちのすぐ横に来た。

男は、うちにはちっとも気がつかないふうだった。きゅうすにお湯をそそぐ手つきは、別の人みたいにてきぱきしてきれいだった。

陳夫人はうちに教えてくれた。

『この人がいれるようになってから、ずいぶんお茶がおいしくなったのよ』

声をかけようか知らんぷりしようかまよって、うちはお礼だけいった。

『どうもありがとう』

男の手がぴたっと止まった。やっとうちに気がついたみたい。顔色がみるみる変わった。

やかんを持ち上げると、逃げるみたいにキッチンへ走って帰ろうとした……たぶん、そうしようとしたんだって思うよ。

でも、三歩としないうちに、となりのテーブルの足につまずいて転んだ。

ぐわらんぐわらん、大きな音がしてやかんが転がり、熱いお湯がそこらじゅうに飛びちった。

お店は大こんらん。もし、お客さんがいっぱいだったら、やけどをする人がいっぱい出ただろうね。

　でも、お店はがらがらだったから、やけどをしたのはそのウエイターだけだったと思うよ。

『こらっ、ファン!』

主人はあわてて、ずぶぬれのウエイターの耳を引っぱって、キッチンの奥に連れていった。どたばた、がちゃんがちゃん、大きな音がして、主人のどなる声がずっと聞こえていた。

陳夫人はレディのたしなみとして、知らんぷりしてた。

クリスはけらけらわらったけど、うちはどきどきしてしょうがなかった。

だって、うちが声さえかけなかったら、こんなことにはならなかったんだもん。あのウエイターがさんざんしかられたと思うと、たまらなかった。

うちは次の日、朝早く起きてまた、あのひょうばんのお店の裏口で待った。

また来るかどうかはわかんない。でも、あの人にあやまりたかった。うちを見つけてもびっくりしないで、ともいいたかった。

それから、もうひとつ、確認《かくにん》したいことがあったの。

やきもきしながら待ってるうち、朝のきりもすっかり晴れちゃって、うちはあきらめかけた、もう帰ろうかなと思った矢先に……来た。

ファンはこないだと同じ、ぼさぼさの髪とぼろぼろの服でやってきた。きょろきょろあたりを見まわしてから、ごみバケツのふたを開けた。

うちは別のごみバケツのかげにかくれ息をひそめた。見ているうちに、だんだんわかってきた。こないだは、おなかをへらして、食べものをさがしてるんだと思った。けど、そうじゃないらしい。

ファンは大きな骨を取り出し、目にくっつけるようにして見ていた。くんくんにおいをかいだり、なめてみたりもした。あごをつまんで考えこんだり、メモをとったりした。骨やとりがらのかけらをポケットにしまいこんだりもした。

ファンはこのお店のひみつをさがしているんだ。あの、ねっとりおいしいスープの味を研究しているんだ。

今ここで声をかけたら、きっとまたびっくりして、なにかにぶつかるだろう。そう思って、うちは話しかけないことにした。

そのかわり、こっそりあとをつけた。

ファンは自分のお店に帰っていった。

裏口のドアは開けっぱなしだったので、うちは刑事《けいじ》みたいに用心しながら中をのぞいた。

ファンはひとりで、ゆかをモップでごしごしふいている。それが終わると、やかんやなべや流しをたわしでみがき、テーブルをふいてセットした。

ゆかをふいてるときに一度バケツをひっくり返し、なべみがきのときにお皿を二枚わり、テーブルセッティングのときにおはしの入れ物をゆかにぶちまけた。

それから外のそうじにかかった。

思い切って、うちは姿をあらわした。

『こないだは、ごめんね』

ファンはびくっとほうきを落っことして、ついでにかかとで植木ばちをわったけど、うちはかまわず話しかけた。

『それはそうと、あのお店のショーロンポーのひみつはなんだと思う？』

とたんに、ファンの目がきらーんと光った。ほうきをひろうのもわすれて、ぺらぺら話しだした。

『鶏《とり》のモミジと、豚《ぶた》の背脂《せあぶら》と牛骨の髄《ずい》です。三つの割合が重要なのです。それと高級な八角と丁《ちょう》子《じ》にシナモン、はちみつも入ってる。その配合でねっとりした風味を引き出しているんです。ただ……もっとすっきりさせたほうがうまくなるのに』

うちはびっくりした。

『あなただったら、もっとおいしく作れるっていうの？』

ファンはうなずいた。

『ええ。ただ、厨房《ちゅうぼう》を好きに使わせてもらえたら……』

『とんでもない、おじょうさん』

　さえぎって奥から大きな声がした。

『恐《おそ》ろしくて料理なんぞさせられません。こいつは生まれついての大ドジです』

　太っちょ主人がお店から出てきて、ファンの頭をばんばんはたく。

『こいつときたら、一メートル歩くたんびに、壊《こわ》すしこぼすしひっくり返す。父親の借金のカタにやってきたものの、お茶のいれ方しか覚えなかった。かえって、この店は大損ですわ、わはは』

　うちは、そこでぴかっとひらめいたの。

『ご主人、ちょいと、この人借りるよ』

『は？』

　主人もファンも、よくわからないという顔になった。

　うちはかまわず、ファンの手を引っぱった。

『今日じゅうに返すから』

　うちはファンを街に連れていった。歩きながら聞いた。

『あなた、おたん生日はいつ？』

『……八月十五日ですが』

答えながらも、ファンは通行人にばんばんぶつかる。うちが引っぱらなければ、二回ずつは道のかんばんと、がいとうのポールにぶつかっていたはずよ。

『そう、そいじゃ今日はちょうど、あと五十三日でハッピーバースデイだね。お祝いをしなくっちゃ』

もちろん、口からでまかせをいったんだ。

とにかく、うちはこの人にプレゼントがしたかったから。

うちが連れていったのは、メガネ屋さんだった。

陳大人のおなじみのお店で、うちが陳家のお客だってこともちゃんと知ってた。

だから、うちらはふわふわのソファに座って、ゆうがにお茶を飲みながら、すっかり注文できたの。

ファンは目の検査をして、ずいぶん視力が低いことがわかった。

うちの思ったとおり。こわすしこぼすしひっくり返すのは、みんな目が悪いせいだったんだ。

一時間半もしたら、メガネはできあがった。メガネはファンにとてもにあっていた。

ためしに、メガネフレームがびっしりならんだお店の中を歩いたけど、ただのひとつのフレームも落としたりこわしたりしなかったよ。

メガネ屋さんを出て、うちはファンの手を引っぱった。

『なら、今度は陳夫人のおたん生日もお祝いしましょう。ちょうど、あと百八十二日なの』

陳家のちゅうぼうに連れていった。

そこには、最新式のシステムキッチンと、最高級のお茶道具が何セットもあった。それから粉やお肉や野菜にスパイス、せいろやおなべやめんぼうなんか、いりようなものはぜーんぶそろっていたの。

『陳夫人は、お茶とショーロンポーが大好きなの。あなたに作ってほしい』

ファンはしっかりうなずいて、シャツのそでをまくった。

もちろん、お茶会は大成功。

陳夫人も陳大人も、クリスもみんな大満足だった。

そのときのショーロンポーは、あのひょうばんのお店のよりもずっとねっとりしていて、それなのにあと味さわやかで、おいしさは夜中まで続きましたとさ。

めでたし、めでたし」

ゆんはそこで、くいっとお茶を飲んだ。

ひなはぶるっと震え、ふうっと息をついた。それから自分の湯呑を手に取って、

「あれ？」

やっと思い出した。

「ででで、それでどうしてファンはショーロンポーがこわくなったの？」

ゆんは片目をつむって、澄《す》ました顔をした。

「わかんない？」

「わかんなーい」

ひなはねじねじ、椅子の上で体をねじる。

ゆんはうれしそうに、くすくす笑った。

「ファンのショーロンポーは大ひょうばんをとった。お店はすっごくもうかって、ファンはおとうさんの借金を返したうえに、ひとざいさん作った。太っちょ主人もすっかり態度を改めて、ファンを敬って常に敬語で話すようになったの。

だけど、お客があんまりにも大ぜい押し寄せるものだから、日にショーロンポーを九千個も作るはめになったの。おかげでファンは夜もねむれずふらふら、たまらずお店を逃げだした。

なぜか、うちにくっついて日本にやってきちゃったんだけど、飛行機の中でねてるときすら、『シアオ……ロン、パオ……シアオロンパオ』ってうなされてたっけ。もう決して、その名前すら聞きたくないんだって」

「じゃあ、台湾のお店はどうなったの？」

「まあまあフツーに落ちついたの。ファンはちゃんとレシピを書いて残してきたから。それを読んだら、だれでも、あのひょうばんのお店と同じくらいにはじょうずにできるんだって。

　でもやっぱり、ファンのは別格だ、食べたい食べたいって、クリスはたびたび手紙をうちによこす。クリスには悪いけど、もちろんファンにいいっこないって。だってたいそうなおびえかたをするんだもん、かわいそうでしょ」

　奥でかたりと音がして、ファンが出てきた。

「お茶をお取替《とりか》えいたしましょうか」

「うん、おねがい」

　ゆんは湯呑と急須を返してから、ひなをこっそり見る。自分の口に人差し指を当てた。

　ひなも自分の湯呑と銀の砂時計を返しながら、こっそり口に人差し指を当てる。

　ふたりはくっつきあい、ふるふる震えて笑いをこらえた。

「お話が、ずいぶんはずんだようですね」

　いつものような無表情で、ファンはとびきりおいしいお茶をついだ。

V『魚とキスしたリーマ』

七月になった。梅雨明けはまだだけど、今日は晴れ間がのぞいた。昨日までの水たまりもすっかりかわいて、道の先の景色は砂糖水みたいにゆらゆら揺れる。

学校から早引けして帰る途中《とちゅう》、ひなは腕を組んでぶつぶつひとり言を言っていた。

いろいろ、考えることがあった。

いっつもごちそうになりっぱなし、ってのはどうなんだろう……もちろん、ゆんはちっとも気にしてないだろうけど……おかあさんもおとうさんもいつも「もらいっぱなしはだめよ。人に親切にしてもらったら、親切で返しなさい」って言ってるし……このままじゃ、わたしの仁義がすたる。

ひなはランドセルの肩紐を、ぎゅっとにぎりしめる。こう見えてもけっこう、義理《ぎり》堅《がた》い女なのだ。

でも、わたしはプリンセスじゃないし、外国には一度も行ったことないし、「行きつけの店」もないし……夢中で考えてたもんだから、つい前を見るのがお留守になった。

どすん、と人にぶつかった。

「きゃ、ごめんなさい」

ひなはあわてて謝る。相手を見上げ、どきんとした。

どうしよう、どうしよう、こんなに暑い日なのに、灰色のフードをかぶってマスクをした怪《あや》しい大人だ。

ひなはそろり、とあとずさりする。すると、

「こんちは、ひなさん」

怪しい人はなぜかひなの名前を知っていて、右手を軽く上げた。

ひなが固まっているのに気がついて、その人は上げた手でフードをはずし、マスクをとった。

ひなは大きく安心のため息をつき、

「こんちはっ」

ちょんと飛び上がって、ぱっちん、とハイタッチした。

「なあんだ、イヌガミさんだったのか」

いつもはエプロンをしてるから、外で見たらなんだか別の人みたい。

「あーら、逆井のひーさんったら、冷たいのねえ」

図書館のイヌガミさんは、ふざけておばちゃんみたいな言い方で言った。

「最近お見限りじゃないの。ちっともお店に来てくんないじゃない」

手にした本で自分の肩をたたいて、あははって笑った。

よくわかんなかったけど、ひなもいっしょに笑っちゃった。

笑いながら思いついて、

「あ、そうだ」

ひなは、ぽんと手を打った。

「あった、わたしの『行きつけの店』、やった、やった」

うれしくって、ぴょんぴょんその場で飛び跳ねる。

イヌガミさんはぽかんとした顔で見ていたけど、

「ねえ、イヌガミさん、あのね、あのね、お願いがあるの」

ひなに袖《そで》を引っぱられて、腰をかがめる。

その耳にひなは、ごにょごにょごにょとないしょ話をした。


ここでひとつ、あの図書館に慣れてない人には、説明しなければならないことがある。

図書館の二階のおにいさん、イヌガミさんは、何人かの人たちからこっそり「へびおとこ」って呼ばれている。

それは、イヌガミさんの顔を見たらすぐにわかる。右半分の顔や手が緑でごつごつしてて、蛇の皮みたいに見えるせいだ。生まれつきのアザなんだって、ひなはいつか誰かから聞いた。

ひなだって、初めて見たときは驚いたのだろう、たぶん。

「たぶん」というのは、ひなは小さい時からここの図書館に来ているので、初めて会ったときを覚えてないからだ。いっしょだったひなの家の人たちも何も言わない。

小学生になって、図書館へひとりで来るようになってからも、おかしいとか怖いとか思ったことはない。

だって、退院して学校に通うようになってからは、ひなはほとんど毎日、あの図書館に来ている。そのたんびにおかしがったり怖がったりしてたら、そっちの人の方がおかしくて怖い。誰だって慣れちゃうはずだ。

それに、本のことを教わったり、こっそりおしゃべりしたり、本を貸してもらったりするのに、顔が何色なのかは全然関係がない。

たまに、図書館に来た子どもとか大人とかが、イヌガミさんの顔を見てひそひそ噂してるのを見たり聞いたりすると、ひなは「ん？」と思う。「ん？」と思ったあとに、その人たちがかわいそうだと思う。それから「早くなれるといいね」って願う。

ひなたの道を歩いていると暑いけど、公園ではまだ本気の夏じゃない。

そばに大きなけやきの木があるから、葉っぱの陰に包まれてジャングルジムはちょうどの涼しさだ。

いつものようにゆんはてっぺんから逆さにぶら下がって、ひなはゆんの方を見ながら下の段に座っていた。

「……だから、びっくりしないでね」

イヌガミさんの説明をし終わったら、ひなの胸はどきどきしてきた。

そこらへんの人みたいに、ゆんが陰口を言ったり騒《さわ》いだりするなんて思わない。でも、とにかくこの子の行動は予想を超《こ》えているから、とひなは思っていた。

でも、そんなこと考えるなんて、ゆんに悪いんじゃないんだろうか、わたしはひどいんじゃないんだろうか、とも思った。

「あら、うちがそんなことでビクつくと思う？」

逆さまのまま、ゆんはつんとあごをそらせたので、ひなは近くのジムのバーをにぎりしめた。でも、ゆんはひなのことを責めたんじゃないらしい。

「よしんば……あ、『よしんば』って、『もしも』って意味だよ、かっこよくない？　よしんば、ファンの顔が緑だろうとむらさきだろうと、ファンのお茶の味に関係ないじゃない？」

「そう、そう！」

ひなはうんとうんとうれしくなって、ジャングルジムから立ち上がった。

「そうなの！　やっぱゆんなら、ちゃんとわかってくれるって、わかってた」

さっき心配してたことなんてすっかり忘れて叫んだ。

「あっはっはっ」

ゆんは豪快に笑って、ひなの前からひゅんと消えた、と思ったらすたんと、地面に下りていた。

「それに、自分の顔をあんまり気にしすぎるのも考えものだよ。とんでもない目にあうかもしれないよ？」

「え、とんでもない目って？」

おはなしの予感にぞくぞくして、ひなは身を乗り出す。

ふたりはジャングルジムの下の段に並んで座った。

「タンザニアにいたときだけど、リーマって、とっても美人の女の子がいてね」

「たんざにあ……」

また、壁の世界地図にピンクの丸が増えそうだ。


『魚とキスしたリーマ』


「アフリカのタンザニアとケニアとウガンダの間に、ヴィクトリア湖っていう大きな湖がある。海みたいに広くて波がうち寄せて砂浜《すなはま》があるんだ。

　その村で、うちはちっちゃな手こぎボートを漁師のＪに貸してもらって、こぎ方を教わった。大きな波がしょっちゅう来てスリル満点、あれは楽しかったなあ。

Ｊはボートをこぐのも、魚をとるのも村一番のうで前で、しかもそのことを全然鼻にかけたりしないで、だれにでもとってもやさしい親切な男子だった。

うちが泊まってたのは村長さんの家。石づくりのおやしきで高いとうが目印だった。うちの部屋はそのとうの一階だったんだよ。とってもロマンチックでしょ。

ロマンチックといえばもうひとつ。

村長さんにはとてもとても美人の一人娘、リーマがいた。

タンザニア名産の宝石、タンザナイトそっくりの深い青むらさき色のひとみ、みずみずしいフルーツのようなくちびる、髪は、夜で染めた綿花みたいにふわふわ。スタイルもよくて、背が高く手足はすらりとひきしまっている。でも、それよりなによりすばらしいのは、彼女のはだだった。キリマンジャロコーヒーにちょいとミルクをたらしたような色で、水面よりもすべすべなめらかなの。

ある日の夕方、うちはボートのりを終えて、Ｊといっしょにボートを浜へ引っぱり上げていた。ちょうどそこへ、リーマが通りかかった。

『ハイ、リーマ』

うちが声をかけたら、彼女はにこにこしながら、こっちへ来ようとした。でも、急にほほえみを消してかちんと立ち止まった。

うちが、

『リーマもいっしょにボートどう？』

っていったのに、リーマはこわい顔になる。きれいなひとみから火が出そうないきおいでにらんだのは、うちじゃなくて、後ろのJだった。

『とんでもない！　ゆん、そんな野《や》蛮人《ばんじん》と付き合わない方がいいわよ』

そしたら、今までやさしくて親切だったJの顔も声も変わった。

『はあ、なんだ？　何様なんだおまえ』

『はあああ？』

リーマの声のほうが三倍くらい大きくてこわかった。

こりゃまずいと、うちはあわててふたりの間に入った。

『まあまあ、リーマいっしょに帰ろう、J、ありがとう、またね』

リーマのうでを取って、おやしきへ帰った。

帰る道々、リーマは整ったまゆ毛をさか立てながらいった。

『あいつ、小学校のころ、わたしの自由研究をびりびりに破いたのよ。わたしが県のコンクールで表彰《ひょうしょう》されたのが気に入らなかったの。そういうやつなんだから』

怒ってるリーマもやっぱりきれいだった。

おやしきの裏はすてきな明るい林で、うちはちょくちょくさん歩した。

その朝、うちがふと前を見ると、木立の向こうにだれかいる。リーマだってすぐにわかった。木もれ日の中を、リーマはまっすぐ歩いていく。目的のある感じの早足だ。リーマはうちに気がついていない。なんとなくおもしろくなって、うちはあとをついていった。

しばらく行ってから、リーマは立ち止まった。

うちが木のかげからのぞくと、そこにあったのは、かわいい池……そうだなあ、ハリーがつかってたバスタブよりもふたまわり大きいくらいの。湖の水とちがって静かで、すきとおってて、水草ひとつ、枯葉《かれは》一枚うかんでいない。

リーマは池のはじにひざをついて、水面をのぞいた。日の光が反射して、彼女の顔は水面のゆれにきらきらかがやく。まぶしいのか、うっとりしているのか、リーマは目を細める。そのうち顔の角度を変えたり髪をかき上げたり、モデルさんみたいにポーズとったりし始めた。池の水面をかがみにして、自分の顔に見とれている。

うちはついわらいそうになった。じゃましちゃ悪いね、と思って、こっそりたいさんしようとあとずさりをしたの。

そのとき、

『きゃあああ！』

上がったのは、リーマのひめい。

ふり向くと、リーマは座ったままぼう然と池を見ている。

かがみのように静かだった池の水面から、大きな顔がぬっとあらわれた。ぎょろぎょろ目にぶ厚いくちびる。

うちはうめいた。見たものが信じられない。

『さ……さ、さ、さかな？』

そう、出てきたのは巨大《きょだい》な魚。うすい緑と銀色のうろこやひれがぎらぎら光る。なんたってすごかったのは、その顔の大きさ。大きな顔に大きな目玉、そしてぶ厚いくちびるの大きな口。

巨大魚は目玉をぎょろりとリーマに向け、ぱっくり口を開いた。

『食べられちゃう！　リーマ、逃げて！』

うちはさけんで、近くにあった小石を投げた。魚には当たらなかったけど、ぴちゃんと水がはねて、リーマははっと顔を上げた。

次のしゅん間、魚がぬらりと身をくねらせ、

――ちゅっ。

リーマのくちびるにキスした。

魚は池へすっぽりもぐった。せい大に水の柱が上がってくだけて、あたりはどしゃぶりになった。

波と雨がおさまり、やっとこ池が静まると、巨大魚はあとかたなく消えていた。

『だいじょうぶ？』

うちがかけ寄ると、ぺったり座ったままのリーマは、ふうーと大きく息をついて、服のそででくちびるをごしごしふいた。

『うええ、くさーい、べとべとだあ』

それから、うちを見上げて、

『ああ、ゆん、びっくりした。でも大丈夫』

弱々しくほほえんだ。

『あれって、ナイルパーチ？』

ナイルパーチっていうのは、ヴィクトリア湖にたくさんいる有名な巨大魚。これをつかまえようと、名うてのつり師が世界中から集まるの。

『そうみたいね。この池、底の方で湖とつながってるんでしょうよ』

うちはリーマに手を貸して立たせた。さっきの水しぶきのせいで、ふたりともびしょびしょだった。

『歩ける？　だいじょうぶ？』

『大丈夫だって』

と、うちらがわらいあったとき、

『大丈夫ではなあああい！』

後ろからぶきみなさけび声がしたの。

ふり向くと、木かげからひとりのおばあさんが出てきた。太くて長いつえにすがりながら、おばあさんはもう一度しわがれ声でさけんだ。

『大丈夫ではないぞ、リーマ！』

『あらエラ、悪いわね、今、持ち合わせがないの、家の方へ行ってくれる？』

って、リーマは平気な顔でいった。

どすん！

エラとよばれたおばあさんは、つえを地面に打ちつけた。

『魚とキスした娘は、魚と結婚《けっこん》せねばならぬ、つまりおぼれ死ぬということだ、これは呪《のろ》いだ』

『うるさいなあ、エラは！』

まだしずくのたれるかみをふって、リーマはつんと顔をそむけた。そのままぷりぷり怒りながら足早に家のほうへ歩きだした。

あわててあとを追いかけ、うちはやっとリーマに追いついた。

『彼女、だれ？』

リーマは大きくため息をつくと、教えてくれた。

『占《うらな》い女のエラよ。魔女だっていう人もいる。ああいうふうに呪いで脅《おど》かしてから、お祓《はら》いしてやるからお金や食べ物をよこせっていうの』

『だいじょうぶなの？』

心配してうちが聞くと、いかにもあきれたっていうふうにかたをすくめた。

『あのねゆん、わたしはれっきとしたクリスチャンなの。あんな迷信ばあさんにつきあっていられない。エラは魔女でも占い師でもなんでもない、単なるかわいそうな寡婦《かふ》よ』

『かふ？』

『夫に死なれた奥さんのこと。男に頼《たよ》ってたから、先に死なれると、年寄りの女は神がかりの振りしてでも食べていかなきゃなんないの。村のみんなもそれがわかってるから、彼女に食べ物やわずかなお金をあげるのよ』

リーマは立ち止まってうちをにらんだ。

『わたし、魚どころか、誰とも結婚する気なんてないんだから。男を頼って、食わしてもらうなんてまっぴら』

『へええ、じゃあリーマは将来どうするの？』

やっとリーマはごきげんを直して、ふざけたふうにウインクした。

『なんとかひとりで食っていこうと、勉強中よ』

でもエラは本当の魔女かもって、うちはちょっぴり思ったね。

エラがやって来てすっかり話したせいで、村長さんのおやしきは大さわぎになっちゃった。村長さんや村長夫人をはじめ、使用人や出入りする村人たちは、のろいにすっかりおびえちゃった。だもんで、リーマはとうのてっぺんの部屋に閉じこめられちゃったの。そこが湖の水面から一番遠かったんでね。

『リーマ、だいじょうぶ？』

ドアについた小さなまどからうちがのぞくと、リーマは平気そうだった。

『大丈夫よ。エラ魔女様のご託宣《たくせん》によると、花婿《はなむこ》がわたしを迎《むか》えに来るのは、今夜のうちだけだっていうから。朝まで湖に近づかなければいいわけ、楽勝よ』

『うん、そうだね』

うちはそう答えたけど、なんだかいやな予感がした。

一階のうちの部屋にもどってベッドに入るころには、外はすっかり嵐になって、風や波の音がごうごう鳴りだした。

うちは飛び起きたっていうか、たたき起こされた。いつの間にかベッドも毛布もびしょぬれだ。見上げると、天井がない、かべもない。あるのはびゅうびゅうすごい風と、どしゃぶりの雨と、びかびか真っ白ないなずま。うちはぼう然とした。意味がわかんなすぎる。

かべがないから、母屋がよく見えた。人がばらばら出てくる。

『竜巻《たつまき》だ！』

ってだれかがさけんだのが聞こえた。

それでやっと、ヴィクトリア湖は竜巻で有名だったって、うちは思い出した。竜巻のせいで、毎年何百人って漁師が行方不明《ゆくえふめい》になる。

やっと意味がわかった。つまり大竜巻がとうをぽっきり折って、上の部分を湖へ持って行っちゃったってわけ。うるわしのリーマごとね。

びしょびしょのベッドを飛び出て、うちははだしで走りだした。

空はすごかった。嵐《あらし》と日の出が同時に起こってる。でっかい入道雲の真っ黒なかげと、朝日の前ぶれの明るい光がだんだらにまじりあって、今にも天界から世界をほろぼしに怪物《かいぶつ》がおりてきそう。

そのすごい空に、黒いゴマつぶみたいな点がいくつかふわふわ浮いてるのを見つけた。うち、目だけはとってもいいの。そのゴマつぶのひとつが、人の形をしてるのがわかった。

走って走って、ぬれた砂をけって湖へかけつけると、浜のボートに人かげがあった。

『J！』

うちはさけんで、空を指さした。

『あれはリーマなの！　助けて！』

Jはうちの指さす方向を一しゅんにらんだけど、力いっぱいボートを押し出した。

それに、うちはするりとのりこんだ。

『危ないから、ゆんは岸で待ってろ、絶対助けるから！』

Jがさけび、うちもさけび返した。

『そうはいかない。だってリーマはうちの友だちだもん。あんたがこいでるときに、だれがリーマを引っぱりあげる？』

Jに、うちを思いとどまらせるヒマはなかった。うちらはそのまま波あらい湖にこぎ出した。

Jは力の限りこぎにこぐ。船べりにしがみつきながら、うちは空を見つめ続ける。

あたりが明るくなるにつれて、風も波もだんだんおとなしくなってくる。とたん、例のゴマつぶがどんどん落ちはじめた。

『リーマあああ！』

うちは空に向かってさけぶ。すると、かすかな、

『ゆーん』

って声が聞こえた。空中のリーマがうちへ手をのばすのも見えた。

Jはめちゃめちゃにうでをまわしてボートをこぎ、うちが方向を指示した。

『J、もうちょっと右、一時の方向！』

波も風もすっかりおさまったころ、ボートは落下地点近くにたどり着いた。

『頭を守って、リーマ！』

うちがさけぶと聞こえたみたい。真っさかさまのリーマは頭をかかえて着水に備えた。無事に

飛びこみさえできれば助けられる、ってうちはかすかなきぼうを持った。

　そのとき、ボートがいきなり大きくゆれて、うちもＪもひっくり返っちゃった。顔を上げたうちはまた、あの変なものを見た。

　朝日にうす緑と銀色のうろこがぎらぎら光る。そんなの絶対、きのう池に出たナイルパーチ以外に考えられない……花よめをむかえにきたんだ。

　落ちてくるリーマはスローモーションに見えた。巨大魚はやすやすとその真下にまわって、巨大な口をぱっくり開ける。頭をかかえたリーマは、そのまま魚の口の中にまっすぐつっこんだ。

　ひどい水しぶきとおそろしいほどのボートのゆれが収まって、ようやくうちは顔を上げた。見ると、Ｊがいない。

　そりゃあ、想像したのは最悪のこと。あのままリーマもＪも魚に飲みこまれて、湖の底でおそう式と結婚式を同時にやったんじゃないかって。

　永遠にも思える時間のあと、

『ぷはっ！』

　水の中からＪが出てきた。

　すぐあとに真っ白などでかい……そうだな、ダブルベッドのマットレスみたいなものが浮いてきた。信じられないでしょうけど、それはナイルパーチのおなかだったんだ。

　立ち泳ぎしながら、Ｊはナイフで巨大魚のおなかを切りさいた。そしたら、中からきれいな女の子が出てきた。キリマンジャロコーヒーにぽっちりミルクをたらしたみたいな色のはだのね。

リーマは赤ちゃんみたいに丸まって動かない。

『……死んじゃった？　リーマ？』

うちがささやくと、彼女の手首がぴくっとした。長いまつげがふるえ、タンザナイトの輝きのひとみがあらわれた。

うちはボートをこぎ寄せ、うれしくなってさけんだ。

『リーマ！　リーマ！　リーマ！』

『あ、ゆん！』

あわてて体を起こしたもんだから、
リーマはバランスをくずして水へ落ちかけ、立ち泳ぎしてたJの首っ玉にかじりついちゃった。

『きゃっ』

『わあああ』

とたん、Jはおぼれだした。でもちゃんとリーマはボートにのっけて、それからぶくぶくぶくとしずみそうになった……どうにかこうにか、うちとリーマで引っぱり上げたんだけどね」

ひなとゆんはいっしょに笑った。

やっと笑い終わって、ひなは聞いた。

「そして、ふたりはどうなったの？」

「ああ、こないだ来たメールによると」

ゆんは涙《なみだ》をふきながら言った。

「リーマは、ナイルパーチのえらやひれから、上等なコラーゲンを取り出すとっきょ技術を取って、会社を設立したんだって」

「え、コラーゲン？　会社？」

予想と違いすぎる答えに、ひなはびっくりした。

「コラーゲンって、おはだをすべすべにする美容成分だよ」

ゆんは自分のほっぺたをぐにぐにもんだ。

「彼女は自分の顔に見とれてたんじゃなくって、どうして自分のおはだがこんなにすべすべなのか、その秘密を探ってたんだって。ナイルパーチにキスされたとき、答えがひらめいたんだって。そいでね、リーマは工場を作った。今まではすてられてたナイルパーチのえらやひれを漁師から安く買って、かふや身寄りのない女の子たちをやとって、コラーゲンの高級美容クリームを作ってるの。彼女たちが、ちゃんと食べていけるようにするんだって。そうそう、あのエラもチューブのふたを閉める仕事をしてるらしいよ」

「へええ」

ひなはあっけにとられかけたが、思い出して、

「えっと……Ｊは？」

と聞いた。

ゆんはくすくす口を押さえた。

「岸に着いたとき、Ｊはついに告白したの。

『今まで一度も聞かれなかったから答えなかったけど、例の自由研究を破いたのはおれじゃない。

あれは隣のクラスのＤＫの仕業《しわざ》だ。それからおれは小学生のころからずっとおまえが好きだ』

って。

リーマはだいぶびっくりしていた。

でも悪い気はしなかったみたい。メールによると、会社がもうかったら自分からプロポーズするらしいよ。

『食べさせてもらうんじゃなければ、勇敢《ゆうかん》な男と結婚するのもそう悪くはないかも』

だって。

めでたし、めでたし」

ひなはぶるっと一回震え、ふうっと息を吐いた。それから、盛大に拍手を始めた。そのとたん、公園の時計台のスピーカーから『夕焼け小焼け』のメロディーが流れだした。

ひなはびっくりしてジャングルジムから飛び下りた。

「もうこんな時間？」

この放送が流れたら、小学生は家に帰らなくてはいけない決まりだ。

あんまりゆんのおはなしがおもしろかったので、今日はずっと公園で過ごしてしまった。

思わず出口へ走りかけて、ひなは立ち止まる。恥ずかしそうに振り向いた。

「じゃあ、わたしの『行きつけの店』は明日だね」

「いつでもいいよ、ことりちゃん」

ジャングルジムのてっぺんで、ゆんは朗《ほが》らかに答えた。

VI『アンディとらいおん』

今日のひなの髪は、玉ねぎみたいなこぶをいくつも作ったお下げだ。

「それ、とってもかわいいねえ」

ゆんが心底感心したようにほめてくれたので、ひなは顔じゅうで笑った。

けれども手をつないで歩きながら、だんだん胸がどきどきしてきた。

思いついたときはすごくいいアイデアだと思ったんだけど……今考えたら、図書館なんて誰でも行けるところだ。本を借りるのも、誰でもタダだし。

「ひなの『行きつけ』って、どんなかな、わくわく」

ゆんがうれしそうにいうたびに、お腹をきゅうっと雑巾《ぞうきん》みたいにしぼられる気がする。

かすれた小さな声を出す。

「きたいしないで……きっと、つまんないと思うから」

ひなの「行きつけ」は、今日も灰色でつぶれかけの会社みたいだ。もうちょっときれいだったらよかったのに、とひなは初めて思った。

ひなはそっと、隣のゆんの顔を見た。がっかりしてるんじゃないかって、気が気じゃない。

ごろんごろん、

大きな音で自動ドアが開き、ふたりの少女は手をつないだまま入った。

入ったところは、貸出・返却カウンターと新聞や雑誌のコーナーだ。いつものように、たくさんのおじいさんとおばあさんたちが静かに読んでいる。その風景もあんまり華《はな》やか……とはいえない。

がっかりしてるかな、と怖がりながらひなが見ると、ゆんの横顔は真面目だ。

きょろきょろ見まわしながら、ひなの耳に口を近づけてひそひそ声を出す。

「うち、図書館って初めて」

「ほんと？」

「いい子にしないとね。うるさくすると怒られるんでしょ？」

背筋をまっすぐ伸ばし、一生懸命な様子で立ってる姿は、まるで『しっかりしたスズの兵隊』だ。

ひなは奥歯を嚙《か》みしめる。笑ったら悪い、けどそう思うほどに笑いはこみあげてくる。緊張しているゆんを初めて見た。とってもかわいい。

やっと笑いを収めて、つないだ手にちょっぴり力をこめる。おねえさんぽく、ひそひそ声で言った。

「子どもの本は二階だよ、ほかに人がいなければ、ちょっとくらい話してもだいじょぶだよ」

手をつないだまま、ふたりは階段を上がった。

上るうちにカウンターが見えてくる。

ひなはかすかに、ほっと息をつく。よかった、イヌガミさんだ。

カウンターのイヌガミさんはひなに気がつくといつもの顔で、

「こんちは、ひなさん」

右手を軽く上げた。

ひなはうれしくなって、

「こんちは、イヌガミさん」

ぱっちん、イヌガミさんと手をたたきあった。

それから、イヌガミさんはゆんを見て、もう一度右手を上げた。

「こんちは、ゆんさん」

ゆんは目を真ん丸にして、イヌガミさんの顔を見つめている。

ひなはひやっとしかけたけど、ゆんの口はみるみる笑う形になった。ぴょこんと飛び上がって、

「こんちはっ！」

ぱっちん、と手をたたきあった。

ひなの心と体は、すっかり柔《やわ》らかくなる。イヌガミさんが、こないだ教えたゆんの名前をちゃ

んと覚えてくれててよかった。ゆんが、イヌガミさんの顔を怖がったりしないでよかった。

すっかり元気になったひなは、右手をぐうににぎって振りまわした。

「見て見て、イヌガミさん。わたしたちのあいさつってこう。ニューヨーク式だよ」

「「オワチャ！」」

ひなとゆんは、ぐうをごっつんとぶつけあった。

「お、そっちのがカッコいいな、ぼくもやらせて」

ふたりはイヌガミさんのぐうとも、ごっつんとぶつけてあげた。

それだけで、ひなとゆんは笑い転げる。

「イヌガミさん、あのね、あのね、」

両方の手のひらをついて、ひなは今にもカウンターに乗っかりそうな勢いだ。

「この子、図書館はじめてなんだって」

ゆんはちょっと恥ずかしそうに体をぐにゃぐにゃさせた。

イヌガミさんはゆんを見て、

「ほお、それはそれは。初めての図書館に、当館をお選びくださって光栄です」

ぺこっとお辞儀した。まるで家来が王様に言うみたい。

ゆんがプリンセスだってことも教えておいてよかった、とひなは思った。それに、プリンセスの友だちをイヌガミさんに紹介《しょうかい》できて、うれしくってしょうがない。

イヌガミさんは立ち上がって、

「ならば、ちゃんとご案内しなければいけませんね」

カウンターの上に、きつねのキャラが《一かいで、かしだして　くれよな》って言ってる立て札を置いて出てきた。

ひなは、ここの図書館のことなら隅《すみ》から隅まで知っているつもりだったけど、なんだか初めての気持ちになって、イヌガミさんの後ろについた。

今日の探検隊はひとりじゃない、隊長はイヌガミさんだ。

ゆんはひなにくっついて、

「じゃあ、図書館たんけん……」

と叫びかけて、そのあとあわてて声をちっちゃくした。

「しゅっ、ぱーつ」

「しゅっぱーつ」

ひなもちっちゃい声で言って、ふたりはわざとぎゅうぎゅうくっついてくすくす笑った。

ちっちゃな行列を率いて、イヌガミさんはフロアへ行く。

本棚の森を越えると、真ん中には本を読む用の丸いテーブルがふたつある。探検家気分だから、なんだかジャングルに囲まれた小さな村発見！　の気分だ。

ゆんはスケート選手みたいに一回スピンした。

「うぎゃあ、本だらけ、３６０度本に囲まれた！」

そう言われれば本当だ。ひなもスピンしてみた。なるほど、図書館って本だらけだ。

「全部で何冊あるんですか？」

ゆんの質問に、

「えっと……」

イヌガミさんは斜《なな》め上を見た。

「子どもの本だけだと、三万冊、全部では十二万冊くらいかな？」

「うぎゃあ」

ゆんはまた悲鳴を上げる。

「こんなに本があって、なんで、ごちゃごちゃにならないんですか？」

そう言われれば本当だ。そんなこと今までちっとも考えなかったので、ひなはゆんに感心した。

「ほんとだ。うちのおとうさんなんて、しょっちゅうお仕事の書類がないないって探してるし、わたしもよく三角じょうぎとか漢和じてんとか、たまに使うやつはどこにしまったかわすれちゃう」

イヌガミさんはふたりに聞く。

「どうしてだと思いますか？」

ゆんと顔を見合わせたが、ひなはすぐに手を挙げた。

「はいっ、はいっ、わかった。イヌガミさんが全部場所を覚えてるから！」

「そうなの？　すごーい」

ゆんはきらきらの目でイヌガミさんを見上げる。

イヌガミさんはつまらなそうな顔で、

「なわけない、なわけない」

左右に手を振った。

「そんなら、ぼくは国立国会図書館に勤めないでよかった。あそこだったら、資料が確か……四千万だかあって毎日どんどん増えてるから、それ全部覚えなきゃならないなら大変だ、一生家に帰れない」

「うぎゃあ、かわいそう、こくりつなんとかの人」

ゆんの驚き方がおかしくて、ひなは口を押さえた。

「そうはいかないので、」

イヌガミさんは近くの棚から一冊引き抜く。

「あ」

ひなは思わず声を出した。

「それ、こないだわたし読んだ。へんれきする人のはなし」

イヌガミさんが引き抜いたのは、あの『河原にできた中世の町』だった。

「例外もあるけど、図書館の本にはここに番号がついています」

背表紙の下のシールを指さした。

ゆんが数字を読む。

「に……にじゅういち！」

「うん、でもぼくらは、これを『に、いち』と読みます」

ひなも近くの棚から『ジュニア地図帳』を引き抜く。

「じゃあ、これは『に、きゅう』？」

「ご名答」

「これは『いち、ご』？」

「そのとおり」

『君たちはどう生きるか』をぱらぱらめくりながら、ゆんが真面目な顔で、

「イチゴのことが書いてあるのかな」

ってつぶやいたので、ひなは我慢できなくて笑った。

イヌガミさんは笑わない。真面目に説明してくれる。

「本の内容によって、番号をつけているんです。図書館の本はその番号順に並んでいます。どこの本棚に並べるか決まっているから、ごちゃごちゃにならないし、すぐに在《あ》りかがわかります。ひなさんも、ひなさんのおとうさんも、いつも決まったところにしまうようにすれば、ものを

なくさないんじゃないかな？」

「そうなの。おかあさんも、わたしとおとうさんによくそういって注意します。『決めた場所に、きちんとしまいなさい』って。それでも、ふしぎになくなるんです」

ひなは真面目に言ったのに、ゆんに笑われた。

イヌガミさんは『河原にできた中世の町』の背表紙をさする。

「まず、最初の番号でおおまかに分けます。1は哲学・宗教、2は歴史・地理とか。その次の数字でさらに細かく分けます。

歴史の本のはじめは2。その次には国や地域を表わす番号をつけます。この本なら、日本の1をつけて21。これが中国の歴史書なら、はじめは歴史の2、次は中国の2で、22とかね」

『河原にできた中世の町』を21の棚へしまって、イヌガミさんはゆっくり進む。植物や動物の棚へ来た。

「たくさん本のある分野なら、さらに細かく数字をつなげます。

例えば、動物は48ですが、動物にはミジンコから、魚、昆虫《こんちゅう》や鳥、爬虫類《はちゅうるい》、哺乳類《ほにゅうるい》って種類ごとに本がたくさんあるから、全部同じ48だとごちゃごちゃになるでしょ？　だから、もうひとつ数字をつけて区別します。鳥は488、哺乳類は489って」

ひながすかさず、『アメンボ観察事典』を抜いて、ゆんに見せた。

「昆虫は486！」

「そのとおり。子どもの本は簡単にしてるけど、大人の本はもっと詳しく分けて、数字を長くつなげたり、著者の頭文字をつけたりします。596・21ア（ごきゅうろく　てん　にいち　あ）とか」

「そんな長い数字覚えてるの、イヌガミさん、やっぱすごーい」

　ひなが叫ぶと、

「やるじゃん、やるじゃん」

　ゆんもひじで突っついた。

「すごくないよ、図書館の人ならみんな覚えてるって」

　イヌガミさんは本棚に向き、両手を広げた。

「とにかくこんなふうにして、図書館では、この世にあるすべての事柄《ことがら》に数字をつけて、分類します」

「この世にあるすべて？」

　ゆんが目を真ん丸にする。

　イヌガミさんはなんでもないふうに答える。

「なんなら、あの世のことまで含《ふく》めて。本があれば、図書館はなんにでも番号をつけて分類します」

「うーむ」

ゆんは腕を組んで考えこんだけど、ぱっと顔を上げた。

「じゃあ、おばけは？」

「14か38だな」

ひなは首を傾げる。

「え、番号がふたつつくこともあるの？」

イヌガミさんが答える。

「いいえ、一冊の本に分類番号はひとつだけです。ただ、妖怪《ようかい》やおばけを扱《あつか》っている本でも、内容にだいぶ違うものがあるよね？　例えば、超常現象の種明かしをする『コックリさんを楽しむ本』なら心理学の14だし、言い伝えの妖怪ばけものを扱った『日本妖怪図鑑』なら民俗学《みんぞくがく》の38っていうふうに」

「「ふ――ん」」

ひなとゆんは同時にうなった。これはなかなか大変な世界みたいだ。

気を取り直して、ゆんは叫んだ。

「万里《ばんり》の長城！」

「中国の歴史的建造物だから22だ。建築物としての観点なら52だけど」

「うんと、ならダニは？」

「節足動物だから485」

「シロナガスクジラ！」

「クジラは哺乳類だから、489」

「えーっと、えーっと」

ゆんははあはあ肩を揺らす。質問が種切れになったらしい。

助けようと、ひなも叫んだ。

「じゃあ、プリンセスは？」

「実在のプリンセスならば、伝記の28です。けど、お姫様たちの多くはおはなしの中にいます。ここの図書館では、子どもの絵本はタイトルの、字のおはなしは作者のあいうえお順で並べています。物語の本は、とても冊数が多いからね」

ゆんとひなは必死なのに、イヌガミさんはいつもカウンターにいるときと同じ、普通の感じだ。

「くー、くやしー」

ゆんはこぶしをぶんぶん振った。

ひなは思いついて叫んだ。

「じゃあ、カポエイラ！」

イヌガミさんは目をぱちぱちして、ひなを見た。

「え、カポエイラ？」

ひなとゆんは顔を見合わせ、いっしょにほっと笑った。とうとう、ついに、イヌガミさんの知らないものを見つけた！

　ところが、

「ひなさん、よく知ってましたね。ブラジルの格闘技《かくとうぎ》カポエイラは、子どもの本の分類ではスポーツの78。カポエイラだけを扱った子どもの本はうちにはないと思うけど……あ、確か『格闘技がわかる絵事典』に項目《こうもく》で載ってたと思うな」

　イヌガミさんはすらすら答えた。

　あきらめきれなくって、ひなはついつい口答えする。

「……カポエイラは戦いじゃなくて、美しい芸術だよ」

　イヌガミさんはうなずく。

「そのとおり。頭の7は芸術を表している。スポーツも格闘技も、図書館の分類では芸術に含まれるんだ」

「うへえ、こうさんだ。このとおりかんべんしてくだせえ」

　ゆんが頭をかかえて、体をぶるぶる左右にひねったので、

「かんべんしてくだせえ」

　ひなもまねしてぶるぶるした。

「何それ、はやってんの？」

　イヌガミさんが怪しそうに聞いたのがおかしくて、ふたりは笑いながらぶるぶるを続ける。

「ねっ、この人すごいでしょ？」

後ろから女の人の声がしたので、ひなとゆんはぶるぶるをやめた。

ひなはぺこんと頭を下げる。

「こんにちはー、うつみさん」

いつの間にかうつみさんがいた。本を何冊もかかえてる。

「この人は、我が館のスーパーエースなんだから、なんでも知ってるよ、よっ、エース」

イヌガミさんをひじで突っついた。

「え、え、なん、ちょっ……やめてください」

イヌガミさんは大いにうろたえる。

それがおもしろいのか、うつみさんはしばらく突っついてたけど、

「あら、ひなちゃん、この素敵な子はお友だち？」

ゆんを見つけて笑いかけた。

「うん、ゆんっていうの」

そこでひなは気がついて、親指をゆんへ向けて言い直した。

「うつみさん、この子ゆんっていうの。図書館初めて来たんだって」

くるっと手首を返して、今度はうつみさんへ指を向けた。

「ゆん、うつみさんだよ。ここの図書館の人だよ」

「こんにちは、ゆんちゃん」

ゆんもにっこりうつみさんに笑いかけた。

「こんにちは、うつみさん。あなたもすてきです」

紹介をしてもらって、ふたりの素敵なレディは優雅《ゆうが》にひざを曲げてお辞儀した。

「ゆっくりしてって、じゃあねー」

本をかかえたまま、うつみさんは階段を下りていった。

イヌガミさんはぼうっとそれを見ていた。顔の左側がちょっと赤い。

ひなが軽くひじで突っつくと、よろっとよろけた。

「うん、まあ、そういうことだから。わからないことがあったら、聞きに来て……」

やっぱりぼうっとした感じで、カウンターへもどっていった。

急にどうしたんだろうと思ったけど、ひなは「ま、いっか」と思い直す。

今度はひなが隊長となって、本のジャングルを遍歴した。

ひなはちょっぴりえばって、たったひとりの隊員に教える。

「どれでも、自由に読んでいいんだよ」

「へえー」

きょろきょろしながら、ゆんはひなにささやく。

「でもね、うち……字がいっぱいはちょっと苦手」

ひなはすぐにわかった。

「あ、そっか。ゆんはずっと外国に行ってたんだもんね、じゃあ」

ゆんの手を引いて、絵本コーナーに連れていった。

ひなはもう小学四年生だから字の本だって得意だけど、絵本の方が好きだ。

絵本コーナーは《おはなしのこべや》のそばにある。

絵本は字の本より、色も形も大きさもいろいろ違うから、並んでいるのを見るだけでも楽しい。

それに他の本のところよりも、本棚が低くて、その上にぬいぐるみや、絵や、手作りおもちゃが飾《かざ》ってあって、おもちゃ屋さんぽい。

「ここの本は数字がついてないんだね」

相変わらず、ゆんはするどい。

「あ、そうだね」

絵本の背表紙の下には色テープが貼ってある。数字も字も書いてない。

「えっとね、外国の作者の絵本は赤で、日本のは茶色、あと昔話はオレンジ、虫や動物とか恐《きょう》竜《りゅう》とかは緑で、乗り物の本は青なんだよ。黄色もあったっけな……」

ゆんに教えてるうちに、ひなにはわかってきた。

「きっとさ、数字の読めない小さい子でもわかるように色で分けてるんだよ。でも、イヌガミさんに聞かないとほんとのところはわかんないなあ」

ひなはしゃがんで、棚から絵本を数冊引き出して見せる。

「どれか、ゆんも読んでみれば」

ゆんはかすかに困っているふうに見えた。胸の前で両手をにぎってもじもじする。

「どれを？」

「どれでもいいんだよ。表紙の絵で決めたら？」

ひなに言われて、おそるおそる一冊抜き出す。

「うわあ、ライオン。うちライオン大好き」

両手でしっかり持って、うれしそうに叫んだ。

「タンザニアでも見られなかったし」

ライオン色の表紙には、大きなライオンと気取って歩く男の子が描かれている。

「そうなの？　でも、ゆんはライオンがよう似合うよ」

ひなは笑った。

そのすぐ後ろで、声がした。

「うん、お目が高い」

イヌガミさんが腕組みしてのぞいていた。もう、うろたえてはいない。いつものつまんなそうな顔にもどってる。

「そのおはなしは、ニューヨーク公共図書館の前に座っているライオンに捧《ささ》げられている」

「え、ニューヨーク？」

ゆんが見上げると、イヌガミさんはうなずく。

「そう。そして図書館に行く男の子のはなし、そしてライオンのはなし、それからサーカスと、親切を忘れなかったおはなしだ」

ひなが思いついて声を上げた。

「イヌガミさん、読んで読んで！」

ひなはもう四年生なのに、絵本を読んでもらうのが大好きだ。自分で読むのと、人に読んでもらうのって全然違う。人に読んでもらう方が、ずっとずっとおもしろくなる。

ゆんもブラックオパールの瞳をぴかぴかさせた。

「読んで読んで！」

イヌガミさんはちょっとカウンターのあたりを気にしたけど、

「うーん、ほかのお客さんが来るまでなら……」

両手をこすり合わせてから、絵本を受け取った。

イヌガミさんは《おはなしのこべや》の黄色いカーペットに座り、絵本を読んでくれた。

ひなとゆんはその前にひざをかかえて座り、大いに楽しんだ。

ゆんの選んだ『アンディとらいおん』では、はらはらしてどきどきして、最後にほっとする。

ひなが選んだのは『きょうはなんのひ？』。イヌガミさんはなんでもない顔で受け取り、なんでもないふうに読み始めたけれど、最初のページで、

「しーらないのーしらないのー」

とすっとんきょうなメロディーで歌いだした。ひなとゆんはしばらくぽかんとしてから、はじけるように大笑いした。

女の子がおかあさんに暗号をしかけるおはなしだ。ひとつのメモに次の場所のヒントが書いてあって、おかあさんは家の階段や部屋や庭や……いろんなところを探すはめになる。笑っていたふたりも、いつの間にかすっかり引《ひ》き込《こ》まれた。

「次これ読んで、イヌガミさん」

ひなが持ってきたのは『泣いた赤おに』だった。

「わたし、これ大好き」

ひなはこのおはなしを絵本でも、字の本でも、紙しばいでも何回と読んだことがあったけど、そのたび最後のシーンで泣いてしまう。

ゆんにも、この感動を味わわせてあげたい。

人間と友だちになりたがった赤おにのはなしだ。おにだから、人間は怖がって逃げてしまう。

そこで友だちの青おにが計画を立てる。わざと悪さをする青おにを、赤おにがぽかぽかなぐって追《お》い払《はら》えば、人間はきっと赤おにを見直すだろう。計画は見事成功して、赤おには人間と友だちになった。ところが青おにはそれきり姿を現さない。赤おにが青おにの家を訪ねると、そこには誰もいなくて、貼り紙がしてある。「ぼくときみが付き合っていたら、人間に疑われるだろうから、旅に出た」と書いてある。

　けれども、ぼくは　いつでも　きみを　わすれますまい。どこかで　またも　あう　日があるかもしれません。さようなら、きみ、からだを　だいじに　して　ください。
　どこまでも　きみの　ともだち
あおおに

赤おには、だまって、それを読みました。二ども三ども読みました。戸に手をかけて顔をおしつけ、しくしくと、なみだをながして泣きました。


大げさに感情の入った声ではないが、それがかえってよかった。

「はい、おしまい。『泣いた赤おに』でした」

イヌガミさんはぱったり本を閉じ、表紙をよく見せた。

やっぱり、ひなは赤おにと同じようにしくしく泣いてしまった。

ところが、

「え、これでおしまい？」

隣で、ゆんの大声がした。

びっくりして、ひなは顔を上げる。

泣くどころか、ゆんは腕組みをしている。少し怒ってるみたいな顔だ。

「ひどい、赤おに、めっちゃひどくない？　友だちをなぐって悪者にして、自分だけ得して。うそつきだし暗いし、うちこの話大っきらい」

「へ」

ひなは胸を押さえた。一年生のとき、ほめられて教室に飾ってもらった粘土《ねんど》の花瓶《かびん》を、男子に壊されたことを思い出した。ちょうどそのときと同じ気持ちだ。

「そんなことないよ、いいおはなしだよ。先生も、おとうさんも、このおはなし好きだよ」

言い返してはっと、ひなは考え直す。

ゆんは本のこと、よく知らないんだ、教えてあげなくっちゃ。

「それにこれは、昔のすごくえらい人が書いたおはなしなんだよ。本とか絵本とか、紙しばいもあるし、大ぜいの人がいいおはなしだって思ってるよ。図書館に入ってる本だから、みんな名作なんだよ」

ゆんは今まで見たこともない、意地悪そうな顔になった。

「でも、うちはきらい。きらいったらきらい、大っきらい」

ひなも、頭にかあっと血が上る。

「なんでそんなこというの、ゆん」

「赤おにサイテー、人間はばか、青おにもさあ、ちょっとMなんじゃない？」

「Mってなに？」

「あーごほん、ごほん、ごほん」

イヌガミさんが、わざとらしく大きな咳払《せきばら》いをした。

「そんなことでケンカすんなって」

「「ケンカじゃないもん！」」

ひなとゆんは口をそろえた。ふたりのすき間に、

「ちょっと失礼」

イヌガミさんは強引に割りこんで座り、ふたりは離された。

「まずね、ひなさん」

ちょっと困った顔で、イヌガミさんはひなを見た。

「図書館の本の中にもつまらない本はあります。昔の偉《えら》い人が書いたって、教科書に載ってたって、くだらないものはたくさんある」

「ええっ！」

ひなは驚いて、ゆんへの怒りもすっかり吹っ飛んだ。

イヌガミさんは手にした『泣いた赤おに』を見つめる。

「おもしろいとかいい話だとか決めるのは、最終的には自分の頭だ。ひなさんにとっていい本でも、ゆんさんやほかの人がいいと思わないこともある。反対に、世界の誰もが嫌《きら》っても、自分だけが好きでとても大切に思うものもある」

「でっしょう？　そう、そう、そうなんだよ」

イヌガミさんの向こうから、ゆんが顔を突き出しにやにやひなをのぞく。

「それから、ゆんさん」

イヌガミさんはくしゃくしゃ頭を押さえて、ゆんをちゃんと座らせた。

「一度聞いただけで、作品の良《よ》し悪《あ》しを決めつけるのはどうかなあ。本を読んで理解するには、脳みその筋肉……みたいなものが要《い》る。脳みそ筋肉は、本をたくさん読んだり、大勢の人と付き合ったりいろんな経験で鍛《きた》えられる。脳みそ筋肉を鍛えてから読めば、昔難しくてつまらなかった本が今はおもしろいとか、昔おもしろかった本が今はばかばかしいとか、以前とはまるで違った感想になることも多い」

やろうと思えば、ゆんは悪魔みたいに憎《にく》たらしい顔ができるようだ。

「むずかしくなんかなかったよ、最初からばかばかしかっただけ、きらいなだけ」

イヌガミさんは、穏やかな顔でゆんを見つめる。静かな声で聞く。

「それと、人がいいと思っているものを、その人の目の前で悪く言うのはいいことですか？」

「えーだって、うちはそう思ったんだもん、自分の頭で考えて、そう感じたんだもん」

ゆんは口をとんがらかすが、イヌガミさんはさらに静かに尋《たず》ねる。

「大事に思ってるものを悪く言われて、ひなさんがどんな気持ちになるかわからないんですか？」

ゆんの真っ黒な瞳がきょろきょろする。

「えーっと、え――っと……いやな気持ちになる」

「うん、よくわかってる、偉い偉い」

イヌガミさんはゆんへ笑いかけた。

「友だちは、完全に自分と同じじゃないからおもしろい。自分が知らないことを知っていたり、自分にとってくだらないものを大事にしていたり。そのでこぼこがなければ、つまり、自分とまったく同じ考えと感じ方だったら、友だちと付き合う必要もないよね？」

「「う――ん」」

ふたりの女子はうなった。ちょっと難しい。

ひなが思いついて顔を上げた。

「でも、友だちと同じことしたり、意見が合ったりするのはうれしいよ」

イヌガミさんはうなずく。

「うん、だってそれは奇跡《きせき》だもんな。別のところで生まれて、別の家で育った、別の人と意見が合ったら、それはすごいことじゃないか……うーんと」

一秒くらい考える。

「例えば、ジグソーパズルのピースが全部同じ正方形で模様も同じだったら、合わせるのは簡単だけど」

「そんなパズル、つまんない」

ひなが急いで言う。

「なかなか合わなかったでこぼこどうしが、ぴたっと合うから、パズルはおもしろいんだよ」

イヌガミさんはひなにも笑いかけた。

「そのとおり、友だちは自分と違うからおもしろいし、楽しいし、大切だ。知らない世界を教えてくれる」

その言葉は、すとんと、ひなの心に収まった。ひなとまるで違うゆんは、ひなの知らない世界をたくさん教えてくれる。

ひなはちらっと、イヌガミさんの向こうのゆんを見た。

「ふうむ、そっかー」

ゆんは腕組みしながら、眉の間にしわを寄せている。でもふと顔を上げて、こっちを見た。

ひなと目が合って、ゆんは恥ずかしそうに目をそらせた。人差し指でほっぺをぽりぽりかく。

その様子があんまりにもかわいくて、ひなは思わずくすっと笑ってしまった。

「ゆん、わたしいやな気持ちになんてならないよ」

「うそ、ほんと？　あ、でも……ごめん、ひなが大事にしていたおはなしを悪くいって」

「ううん、わたしこそ、押しつけちゃってごめん」

ふたりの間から、イヌガミさんは立ち上がり、

「さて、あとは若いおふたりでごゆっくり」

《おはなしのこべや》を出て行った。

読んでもらった三冊のうち、ゆんが一番気に入ったのは、最初の『アンディとらいおん』のようだ。イヌガミさんがカウンターにもどったあとも、カーペットに座ってじーっと読んでいた。

ひなはそれがうれしくて、自分はそっと『ピッピ船にのる』を取ってきて、隣で読んだ。

黙《だま》っていても、好きなものが違っていても、ただ隣にいるだけで、とてもうれしい。

一時間もたったころ、ゆんはやっと顔を上げ、ふうっと息をついた。まるで、ゆんのおはなしを聞いたあとのひなみたい。すっかり満足した顔だ。

「ここ、すごいや、ひな。だって、本がこんなにあるんだよ。一生をついやしたとしても、全部読みきれない」

「うん」

ひなはにっこりうなずいた。ゆんは、図書館を好きになってくれたみたいだ。

「あしたも来てもいいかな。もっと読みたいんだけど」

ゆんはいかにも、お名残《なご》り惜《お》しいって感じで『アンディとらいおん』を棚にもどした。

「もっちろん。でもそれ、借りて家に持って帰ってもいいんだよ」

「うそっ」

ゆんは、かぼちゃの馬車を目の前にしたシンデレラみたいに両手をにぎりしめた。

ひなは自分の手さげから、図書館カードを取り出して見せた。

「うわあ、きれいなカード」

ため息まじりにゆんが言う。ひながカードを手渡すと、両手で持ってじっと見た。

「レッド、オレンジ、イエロー、グリーン、ブルー、ダークブルーにパープル……にじの色だね」

ひなは正直、そんなにきれいなカードだと気づいてなかった。ゆんはやっぱり自分とは違って、知らないことを教えてくれる。

なら、ひなもゆんに教えてあげないと。

「カード、ゆんもイヌガミさんに作ってもらいなよ。十冊も借りられるんだよ。それもただで。お金はかからないの」

「え」

ぱっと顔を上げたゆんに、ひなはにっこりした。

「簡単だよ。住所や電話やなんか書くだけで、すぐできるよ」

ゆんはそっと肩を落とし、ひなへカードを返した。なんだか、がっかりしたみたいに見えた。

「……そっか。でも、今日はよすよ」

すぐに顔を上げて、にかっとわらった。

「だって、今うちにはあの犬っころがいるんだもん。せっかくの図書館の本をやぶいたりしたら大変だから。このないだも、キングの大事なブリーフケースの上にのっかって、べこべこにしちゃったんだよ。本人……いや、本犬に悪気はないんだろうけど、これには、いつもやさしいキングも、かんかんになって怒ったよ。だって、ブリーフケースはうちの国では最上等のアルミニウムでできてたんだから。それがべこべこじゃあ、とってもアルミニウムのセールスにならないでしょ？　急いでもうひとつブリーフケースを取り寄せて、ハリーのきらいなちゅうしゃの絵をはりつけたんだ」

ひなは口を押さえた。

「それで、どうだった？」

ゆんは肩をすくめる。

「それが、ぜーんぜん。かえって悪かったの。ハリーはこないだ、ダニよけのちゅうしゃの太いのを、三本もされたもんだから、ちゅうしゃに深ーいうらみを持っていたの。だから、キングの新しいブリーフケースを見たとたん、人が……いや、犬が変わったみたいになっちゃって、たちまちがりがり絵にかみついた。おかげであわれブリーフケースは、ふたたびぼろぼろ」

ふたりは笑いながら、カウンターへ到着《とうちゃく》した。

「あ、わたし、今日この本借りるから待っててね」

イヌガミさんが、ひなの差し出す虹色のカードをぴっ、『ピッピ船にのる』をぴっ、と機械でこすって、それから返す期限の書いてある紙のしおりを挟んでくれた。

「またおいでください、でこぼこのプリンセスたち」

イヌガミさんは、ゆんに図書館カレンダーをくれた。

「お休みの日と時間には気を付けて。それ以外はいつでもお待ちしております」

「わかった、絶対また来る」

カレンダーを丁寧にたたんで、ゆんはポケットにしまった。上目づかいでイヌガミさんを見ながら聞いた。

「図書館についての本は？」

「01」

すかさず、イヌガミさんはつまらなそうな顔で答えた。

ひなとゆんは笑いながら手を振って、図書館をあとにした。

太陽はもうだいぶ傾《かたむ》いて、ふたりの影も長くなる。公園の木々の葉っぱもすっかり夕方の色だ。

公園の入り口でまだぺちゃくちゃしてたら、背中で大きな声がした。

「こらっ、ひな子」

ひなが振り向いたら、怖い顔があった。

「あ、えっちゃん」

「おっせーぞ。帰るぞ、不良娘」

えっちゃんはずんずん近づいてきて、ゆんの前に立った。じっと顔を見る。

ひなの心臓はどきどきしてくる。

ゆんを見下ろしながら、えっちゃんが聞いた。

「あなたが、ゆんちゃん？」

「はい」

ゆんはまっすぐえっちゃんを見返した。

ひなは両手を、ぎゅうっとにぎりしめる。

「いつも、ひな子と遊んでくれてありがとう」

えっちゃんはやさしい美人モードになって、にっこりした。

「この子ったら、もうあなたに夢中だよ。昼も夜も、ゆんが、ゆんが、ってうるさいったら」

ほっとしたひなだけど、顔がかっかと熱くなる。

「でへ」

ほっぺを真っ赤にして、べろを出した。

でも、次のえっちゃんの言葉で、ひなの心臓はさっきよりずっとどきどきにされた。

「さ来週の土曜日、この子のお誕生日なんだけど、あなたうちに遊びに来る？　ごちそう作っからさ」

ひなは目を真ん丸にした。

「ほんと？　えっちゃん」

えっちゃんは重々しくうなずく。

「本当に本当のこんこんちきだよ。その日ね、ひな子のおとうさんとおかあさんがそろって、親《しん》戚《せき》の家に行かなきゃなんねえのよ。わたしとひな子だけじゃ、ぱっとしないっしょ？」

ひなはもう、踊りだしそうな気持ちだ。いや、実際にへんてこな踊りを踊りだす。

「うわあ、ぱっとしない、ぱっとしないったら、えらいこっちゃえらいこっちゃ」

えっちゃんはひなの頭をむんずとつかんで、踊りを止めた。

「でさあ、ゆんちゃんに来てもらったらどうかな、って思ったんだけど。お休みだし、もしおうちの人のお許しがあったら、お泊まりしてもいいよ」

「うわーい」

体の方はえっちゃんが押さえていたけど、ひなの心は高々空へ舞《ま》い上《あ》がった。

でもゆんを見たら、すぐ地面にもどってきた。

ゆんは真面目な顔で考えこんでるみたいだ。じっと下を見ている。

「うちの人に聞いてきます」

くるっと身をひるがえし、てけてけてけって駆けていった。

その翌日、朝の九時少し前。

図書館の正面ドアでは、常連のお客さんたちが五、六人待っている。開館時刻のいつもの風景だ。

その日、正面ドアを開けたのは、たまたまイヌガミさんだった。

この自動ドアはこの図書館と同い年で、開け閉めするたび怪物みたいにごろごろいう年代物だ。扱いにもそれなりのコツがいる。

電源を入れてから、手動でドアを開ききって手で押さえる。

「お待たせいたしました。おはようございます」

「おはよう」

「おはようさん」

待っていた常連さんたちが全員入館したのを確認してから、手を離す。

すると、

ご、ご、ごごごご……、

と怪物はねぼけまなこで、ゆうっくり閉まる。とてもゆうっくりで、この時にやってきたお客さんには待ってもらわなければならない。

やっと閉まりきってから、職員がドアの前に立つと、

ごろんごろん、

とうなりながら開き、一日の労働を始めるのだ。

朝の儀式を終え、ちゃんと怪物が働くのを確認したあと、イヌガミさんは一度館外へ出た。

さっきドアがゆうっくり閉まってる間、外にちらりと見えたものがあったからだ。

ここの図書館、建物はおんぼろだが、まわりの花壇や植木はきれいに整えられている。

六月の初めまでぎっしり咲《さ》いていたつつじの花はなくなって、七月に入った今は、その横に植えたひまわりたちがずいぶん背高に育っていた。うつむいた首の先に、大きな緑のつぼみがついている。

ひまわりの花壇を曲がった先のアケボノスギの根元に、後ろ姿がひとつあった。

イヌガミさんは普通の、でもいくぶんはっきりした声で、

「おはようございます。図書館、開館しましたよ」

と声をかけた。

「おはよ」

くるっと振り向いて、ゆんはにかっと笑った。

「まったくまいっちゃうよ」

イヌガミさんといっしょに階段を上りながら、ゆんはしゃべり続ける。

「みんな、カンちがいしがちだけど、国王なんてつまんない商売だよ。なにかちょっとしたものがほしいだけなのに、大臣だとか会計係だとかが出てきて、ぎっしり書るいだとかシンサだとかになっちゃうんだもん。それに、あんまり大げさなのもおかしいでしょ？　ひなはこの国のしょ民《みん》なんだろうしさ。うち正直いって、しょ民の子どもがなにをおたん生日にもらうのか知らないんだよ。たとえばさ、西洋のきしのかっちゅう一式ならすぐに手配できるんだけど、たぶんひなはそういうのもらってもこまると思うんだよね。置き場所とかあるだろうし、しゅ味もあるだろうし、第一あんまり高いやつだと、ひなのおうちの人がおそれ入っちゃうだろうしね」

「騎士《きし》の甲冑《かつちゆう》一式は、ぼくもちょっと困るなあ」

庶民《しよみん》のイヌガミさんは少し笑って、階段を上りきった。

「ひなさんのお誕生日プレゼントにふさわしいものか、うーん」

いっしょに考えてくれるようだ。

「なにか、ある？」

心配そうに見上げるゆんを、イヌガミさんは見下ろした。

「こないだの工作会の材料が残ってるけど、それをアレンジするっていうのはどうですか？」

イヌガミさんはそのまま、「75こうさく・おりがみ」の棚に行って、本を一冊取り出した。『色セロハンでつくろう』というタイトルで、黒い背景に鮮《あざ》やかな鳥が並んだ表紙だ。

「セロハンと黒画用紙やなんかで、ステンドグラスを作ったんです。材料は余ったのをあげるから、この本を参考にして、好きなものを作るといい」

ゆんは本を受け取り、中身をめくる。まだ心配そうだ。

「すごくきれいだけど……こんなの、うちに作れるかな？」

「うん、丁寧に作ればきっと、いいものができると思いますよ。あ、カッター大丈夫？」

「えっと……今は持ってない」

まだ不安そうなゆんを励《はげ》ますように、イヌガミさんはにっこりした。

「なら、道具と場所も貸すよ。お姫様が手を切ったりしたら大変だから、専用の従者もつけましょう」

イヌガミさんは階段脇の細長いスペースへ入った。本を運ぶブックトラックや段ボール箱がたくさん置かれていて、普通のお客さんは入っちゃいけない感じの場所だ。

突き当たりのドアを開け、イヌガミさんは振り向いてゆんを待った。

ゆんは一度イヌガミさんを見上げたけど、かすかに「ふん」と息をして、そのままドアをくぐった。

細長い部屋だ。片側は金属製の壁が続く。薄暗いが、壁の反対側には二階フロアに通じる窓もあって、目が慣れれば真っ暗というほどでもない。奥にスタンドライトの灯るデスクが見えた。そこら中に段ボールやプラスチック製の箱が積んであったけど、イヌガミさんはすいすいよけて奥へ進む。ゆんもあとに続いた。

スタンドライトに照らされたデスクでは、人がひとり突《つ》っ伏《ぷ》していた。どうやら眠っているようだ。

イヌガミさんは普通の顔でデスクを見下ろしたけど、かすかにはっと表情を変えた。突っ伏す腕の下へ手を突っこみ、素早く何か引き抜いた。

その拍子に、

「あいて！」

寝ていた人が跳ね起きる。

寝ぐせなのかくせっ毛なのか、肩にかかるくらいの髪がくるくる渦《うず》を巻いている。白いシャツを着た少年だった。

「あ……なんだ、イヌガミさんか」

寝ぼけているのか、瞳はぼんやりした色だ。

引き抜いたものを、イヌガミさんは心配そうに傾けたりさすったりする。

「んー困るよ、スタビンズ君。ページを開いて伏せて置くなんて。おまけにその上から力なんてかけたら、本が傷《いた》むじゃないか」

『ドリトル先生と月からの使い』という新書サイズの本だ。

「つうか、いきなりなんだよー」

少年はこぶしを振りまわしたけど、本気で怒ってるというわけではなさそうだ。

「びっくらこいておれの心が痛むっつうの。本と人、どっちが大事なんだよ」

「そりゃ、本に決まってる」

イヌガミさんは意地悪そうに歯を見せた。

「眠気覚ましに仕事をさせてあげよう、スタビンズ君。ちょっと詰《つ》めて」

イヌガミさんは、少年の隣に木の丸椅子を持ってきて席を作った。後ろにいたゆんを押し出す。

「この人の工作を手伝ってほしいんだ」

「へ？」

「小学生の工作なんてお手のもんだろう？」

「ちょ、待てよ、イヌガミー」

少年の抗議《こうぎ》なんてまるで聞かずに、ぱたりと『色セロハンでつくろう』をデスクに置いた。

「これが参考文献《さんこうぶんけん》、あと文房具《ぶんぼうぐ》を貸してあげて」

ゆんを席に座らせると、イヌガミさんは少年へあごをしゃくった。

「この人はこう見えても、親切だから」

「どう見えるっつんだよー」

少年の異議申し立てはまたもスルーされた。

「いろいろ教えてくれる。本の難しいところも読んでくれるからね。やめたいときにやめて、好きなときにここから出て行けばいい。ぼくはフロアにいるから、手に負えないことがあったら聞きに来てください」

「はい、わかりました」

ゆんは良い子っぽく答えた。

「じゃあ、今材料を取ってくる」

イヌガミさんはさっさと部屋から出て行った。

隣の少年を見上げて、ゆんはにかっと笑った。

「よろしくね。うちのこと、ゆんってよんでいいよ。君のことなんてよべばいい？　それはそうと、君はウラジオストックのミーシャに似てるね」

「み？　つうか、おまえ……」

「本当の名前はドミートリーっていうんだけど、かわいらしいからみんなからミーシャってよばれる巻毛の男の子のことだよ。うん、決めた。君のことミーシャってよぶことにする」

「はあ？」

困惑《こんわく》した少年の声が、薄暗い部屋に響いた。

「なんなの、おまえもイヌガミも。おまえら全員『人の話聞かない村』の村人かあ?」

Ⅶ 『カーチャとミーシャとくま』

「ほうら、出来上がり！」

えっちゃんが、大きなお皿をダイニングテーブルにどすんと置く。長細い型をはずすと、透き通った真っ赤なゼリーが出てきた。中には、いちごにオレンジにラズベリー、キウイ、すいかにブルーベリー……フルーツがぎっしりで、まるで宝石箱みたいだ。

「どうだい、ちょっときれいだべ？」

えっちゃんはいばったけど、ひなは、

「うん……」

と気のないふうにうなずいただけだ。でも、キッチンをうろちょろ落ち着きなく歩きまわり、余計な手や足を出して叱《しか》られる。

「ちょっとは座ってろ、ひな子。まだ、だいぶ早えって」

「うん、だってえ……」

ひなはリビングのソファに座ったけど、仰向けになって手とひざをかくかく動かす。

「あんだよそれ、秋口の死にそうなセミかあ？　せっかく作ったお姫様ウェーブが崩《くず》れるよ」

そうなのだった。今朝はひながおとうさんに頼んで、熱々のコテで大きなゆるふわカールを作ってもらったのだ。

えっちゃんはぶすっと起き上がったけど、まだひざはかくかくかく動いている。

「ゆんちゃん、ちゃんと来るって言ったんだろ？」

ひなはかくかくをやめた。

「うん、いった」

あれからも毎日のように、ふたりは図書館に行って本を読んだり、ファンの店でおしゃべりしたりして遊んだ。

お誕生会に家に来るし、お泊まりもできるって、ゆんは確かに言った。えっちゃんは、ゆんのおうちの人へ手紙を書いてくれて、ひながゆんへ渡して、次の日には「キングもクイーンもオーケーだって」っていう返事をもらったのだ。

準備はずんずん進んだ。

えっちゃんは図書館で『腎臓病の人のおいしいレシピブック』という本を借りてきて、腎臓病の子でも食べられるごちそうを研究し始めた。量りと計算が必要とかで、メモを書いたり電卓《でんたく》をたたいたりして大変そうだ。さっきの真っ赤なゼリーは「フルーツテリーヌ」というカッコいい名前がついている。
掃除《そうじ》は、ひなが自分から進んで徹底的《てっていてき》にやった。廊下《ろうか》やリビングのフローリングは、ワックスを二度ずつかけてスケートリンクみたいにぴかぴかだし、ライトの笠《かさ》から勉強机の引き出しの隅まで、毎日五回ずつはハンドワイパーでほこりを払った。片付けも完璧《かんぺき》で、もはや漢和辞典も三角定規も０・２秒で用意できる。

そんなふうに、ひなはわくわくてかてか毎日を過ごした。

ところが当日の今日になったら、全部が嘘のような気がしてきたのだ。ゆんが来るって言ったのも、いっしょに遊んだのも、出会ったことすらも、全部が自分の頭の中で想像したことなんじゃないだろうか……。

そんなことを考え始めたら、頭はぐるぐる、胸はどきどき、ひざはかくかくしてしまう。ゆんが来なかったらどうしよう……いや、ゆんが来るなんて、そんな夢みたいなことが現実に起こるはずない……きっと来ないに違いない。

悲しみのどん底に落ちこんで、ひなはソファに突っ伏した。

「わーんっ」

「あーうるせい！」

えっちゃんが怖い顔でおたまを振りまわしたとたん、インターフォンが鳴った。約束の六時ぴったりだ。

ひなはちょっと恥ずかしかった。自分はいやな子かもって思った。でも、悩んだのはゆんがマンションのエントランスをくぐって、エレベーターに乗ってひなのうちまで上がってくるほんの数分だけだ。

ドアを開けると、ゆんはいつもの服と笑い方で立っていた。

「はい、おめでとう、ことりちゃん」

ひなにプレゼントの袋《ふくろ》を渡した。

「わあ」

ひなはびっくりだ。

こんなの見たことがない。本物の英語の新聞紙で作られた袋に、高級そうな紫のリボンがかかっている。

「開けていい？」

赤い顔でひなが聞くと、ゆんもちょっと顔を赤くして、

「いいよ」

と答えた。

「それより先に、上がってもらいなさーい！」

キッチンから、えっちゃんの声が飛んだ。

「うわあ、きれいきれい」

ひなは夢中になってリビングの床一面に作品を広げた。たちまち床は鮮やかな色と形でいっぱいだ。

一枚取り上げたのは、黒く太い輪郭《りんかく》の中に、セロハンを貼ったステンドグラス風の魚だ。ピンクにグリーンに黄色に、青。なんと鱗《うろこ》のひとつひとつが別の色だ。

「すごーい」

いろんな種類がある。ゆんはひとつひとつを、丁寧に解説した。

「これがティーレックス。すんごくきょうぼうなきょうりゅうなの。これはキリン。ちょっと首が短かかったな。これはせきせいいんこ、んでこれはサイ、これはユニコーン、これはまほう使いのおばあさん」

「ぜ、全部、ゆんが作ったの？」

ひなの声は感動のあまり震えた。

ゆんは鼻の横っちょをぽりぽりかいて、斜め上を見る。

「まあね……ちょっと家来に手伝ってもらったけど」

「すごおい、すごいよ、ゆん」

そこでひなはやっと気がついて、大声で言った。

「ありがとう、こんなにすてきなプレゼントをありがとう！」

完璧なお誕生日だった。

まず、ごちそうがレストランみたいだ。白いエプロンをつけたえっちゃんが、ひなとゆんの前に一皿、一皿、順番にお料理を出してくれる。

まず、甘くてとろんとしたりんごのスープ、おなじみのキャベツも今日はロールキャベツでよそゆきだ。メインは「牛肉のねぎ巻き・キラキラソース」。キラキラソースはみじん切りにしたフルーツやパプリカで、本当にきらきらしている……デザートは、熱々のピーチクランブルと冷たいフルーツテリーヌ。どれも大きなお皿に少しずつなのに、最後にはみんなお腹がぱんぱんになった。

ごちそうのあと、三人でゲームとクイズ大会をして、歌しりとりをして、テレビでお笑い番組を見た。そのあと、

「そうだ、このきれいなステンドグラス、ひな子の部屋に飾んべよ」

えっちゃんのアイデアで、工作が始まった。

ステンドグラスにたこ糸をつけて、ストローの端っこにつり下げる。いんこの下にさらにまほう使いをぶら下げた。

「次はどうするの？」

ひなが聞く。

えっちゃんはウインクして、別のストローを持ってきた。

「こいつの両方にもステンドグラスをつなぐ。ストローの真ん中に糸を結んで、つり合うようにぶら下げてごらん」

「うん」

「よしきた」

ひなとゆんはうなずいて、ストローの両端にユニコーンとティーレックスをぶら下げた。そのストローの真ん中に糸をつけてぶら下げるけど、うまくつり合わない。

「むずかしいね」

「うん、だって重さのことなんて考えないで作ったんだもん」

「ストローをつる糸の場所をちょびっとずつずらせろ、そしたらいつかつり合うから」

何度も挑戦してついにできあがった。やっと位置が決まった糸をテープで止めて、そっと手を離すと、ストローは見事にまっすぐつり合った。

「やったあ」

「きゃほー」

ひなとゆんはハイタッチで喜んだ。

ところがえっちゃんは、

「喜ぶのはまだ早い。こいつを、最初のせきせいいんこのストローの端っこにつけて、またつり合わせるよ。これをもっと作って組み合わせるよ」

「「ひえええ」」

ひなとゆんはいっしょに叫んだ。

後半はだいぶえっちゃんが作ってくれたけど、ついに、ついに、豪華《ごうか》な飾りが完成した。

ひなとゆんは抱き合ってぐるぐるまわって、それから感動の面持《おもも》ちで完成品を見つめた。

「こういうのを、モビールっていうだあよ」

って、えっちゃんは教えてくれた。脚立《きゃたつ》を持ってきて、天井からひなのベッドの真上につってくれた。

「あ、いいこと考えた」

ひなはばたばた駆けて、リビングから懐中電灯《かいちゅうでんとう》を持ってきた。

ひなとゆんはベッドにふたり仰向けに並ぶ。

「えっちゃーん、電気消して」

部屋の明かりが落ちると、ひなは天井に向かって懐中電灯を照らした。

「「ひゃあ」」

ふたりは同時に叫んだ。

セロハンを通して、鮮やかな光が天井や壁に飛び散る。魚を照らせばいろんな色の鱗が飛び出す。

「わあ、海の波みたい」

「魚のむれが、通りすぎていくよ」

「あれはサメだ！　食われるぞ」

「たすけてー」

「陸に上がるんだ！」

「こっちにはティーレックスが！」

「やばいやばいやばい」

ふたりは寝たまま、手足をばたばたさせて冒険に夢中になった。

しばらくして、えっちゃんがもどってきて、怖い顔で命令した。

「こら、いいかげん、お風呂に入んなさーい」


そこで、ふたりは冒険を切り上げて、いっしょにお風呂に入った。

ゆんの髪にシャンプーをつけるとものすごくふくれた。ひなはがんばって、ソフトクリームと、舞《ぶ》踏会《とうかい》に行く貴婦人と、びっくりした人の髪型を作った。

ゆんはお返しにひなの髪を大いに泡立《あわだ》てた。ユニコーン、トリケラトプス、それからムジャムジャクンクンの角を作ってくれた。ムジャムジャクンクンというのは、ユン島に二千年に一度現れる伝説の怪獣《かいじゅう》で、なんと角が十六本もあるのだ。

ゆんはお湯の中で、うず巻きを作る方法を教えてくれた。何にも道具は使わない。手首のひねり方にコツがあるのだ。ふたりはどっちのうず巻きが大きいか、さんざん競争した。おかげで、お風呂は一時間以上もかかってしまった。

えっちゃんが、また怖い顔で呼びに来なければ、朝まで入っていたかも。

あんまりお風呂が長かったので、ふいてもふいても汗が出てくる。けど、おそろいのパジャマを着て、エアコンのきいた寝室に入るころには、ふたりともすっかりさっぱりいい気持ちになった。ファンのお茶を飲んだあとみたい。

えっちゃんはひなのベッドに、薄くて軽い夏用の羽根布団を用意してくれた。ふたりは、いっしょにぬくぬくベッドに収まった。ベッドサイドのライトだけにすると、モビールのセロハンも夕焼けみたいに落ち着いた。

「せまくない？」

ひなが聞くと、ゆんはごそごそ首を振った。

「ううん。こうしてると、ウラジオストックのカーチャの別荘《べっそう》を思い出すよ」

「ウラジオ……」

「……ストック。ロシアの街。別荘はずいぶんいなかで、森しかまわりにはなかったの。ウラジオストックの森ってね、ダークブルーの絵の具だけで絵がかけると思うな。はえてる木はどれもクリスマスツリーみたいな形で、世界ができたときからそこにあるっていうふうに、巨大で年寄りなの。昼間でも暗くって、夏でも寒いくらいで、おしゃべりしててもすいこまれちゃうくらいに静かなの……カーチャの別荘はそんな森の真ん中にあった」

ひなは枕《まくら》に乗せた頭をまっすぐにした。寝ているとはいえ、ゆんのおはなしはちゃんと聞きたいのだ。

「うちとカーチャとミーシャは、夏じゅういっしょのベッドでねたものよ。でも、三人は特別なかよしってわけじゃなかった」

なかよし、ってところで、ゆんはぱちっとウインクして、ひなを見た。

ひなの胸がどきんとして、耳がぽっぽと熱くなる。

『カーチャとミーシャとくま』

「なんで三人いっしょのベッドでねたかっていうと、その夏がひどく寒かったから。まだ八月のはずなのに、あられみたいな雨がふるし、別荘はすきま風が入るし、うちらはがたがたふるえながら、くっつきあってねるしかなかった。

　別荘には、缶づめでぎゅうぎゅうのパントリーと、野菜畑と、クリームたっぷりの牛乳を出す茶色のめ牛が一頭、毎日卵を生むまだらのめんどりたちがいたから、うちらは毎日バターとジャムのどっさりのったパンケーキや、真っ赤なボルシチを好きなだけ食べられた。それでなんとかがまんできたの。

あと、赤毛のポニーが二頭と、それから秋田犬のレフがいたの。秋田犬はロシアで大人気、大統領も飼ってるんだよ。

カーチャはうちと同い年で、金髪《きんぱつ》のそりゃきれいな子だった。水色のリボンとワンピースがよくにあう。金髪の子って、そりゃあ水色がにあうんだよ。

けど、えばり屋なところがあった。それも、自分よか年下の子にうんとえばるんだ。

つまり、弟のミーシャにね。

ミーシャはまだ、五才になるかならないかってとこだった。髪はカーチャとちがってくり色で、くるくるの巻毛なの。夏じゅういなかですごしているのに、うちやカーチャみたいに日にやけないで、すきとおるような白いはだをしていた。ぼんやり屋で、いっつもカーチャに命令されてびくびくしてた。

『おいミーシャ、ミルクとジャムを持ってきなさい』

とか、

『やいミーシャ、ニーナをここによんできて』

とか、

『わたしのうわぐつのほこりをはたいとくのよ、ミーシャ』

とかね。

とにかく、カーチャはミーシャ使いがあらいの。

ミーシャはおとなしい子でね、ひまさえあれば、げんかんポーチに作った小さなブランコにのって、絵本を見ていた。

彼がブランコをこぐと、

――きいこ　きいこ

って、かわいらしい音がする。

彼は一日じゅう絵本を見てたいんだけど、カーチャが命令するので、そうもいかないの。

なんだかかわいそうでしょ？

うちがたまらず注意したら、カーチャは青いリボンのついた金髪をふり上げて、

『おたずねしますけどね、お客さま。ミーシャはだれの弟かしら？　もしわたしがまちがってなければ、あの子はわ・た・しの弟なんですけどね。そうならば、ほうっておいてほしいものだわね』

って、怒るの。それで一日ぷりぷりして口をきかないんだから。

うちはやれやれって、ため息をつくしかなかった。

そのとき別荘にいた大人は、コック兼小間使《けんこまづか》いのニーナと、作男《さくおとこ》のワーニャだけだったの。あ、小間使いっていうのは家のこととか子どもの世話をしてくれて、作男っていうのは畑の野菜とか

動物たちの世話をしてくれる手伝いの人だよ。

　つまり、だれもちゃんとカーチャをしかる人はいなかったんだ。


　ある朝のこと、うちらはポニーにのるじゅんびをしていた。

　そしたら、カーチャがいきなり、

『ミーシャ、ミーシャ、わたしのくらをここに持ってきて、あぶらでみがいてちょうだい』

　って、さけびだした。

　けど、ミーシャはブランコから動かなかった。大好きなくまの絵本にすっかり夢中になってたの。

――きいこ　きいこ
　って、ブランコの音だけがひびいていた。

　そこで、カーチャはポーチに出て行った。弟の読んでいた本をほうりなげて、ブランコから引きずって立たせたの。

　まったく、そんな力仕事をするくらいなら、自分でくらを持ってきて、あぶらでみがきゃいいのに。

　で、ついにミーシャはわーんってないて、森へかけてっちゃったのよ。

『ほっときゃいいわ』

　カーチャがいったので、うちらはポニーにのって森をぐるっとまわった。

ポニーにのるのはいつもは楽しいんだよ。森の小道をぽくぽく行くのは、とっても気分がいいものなの。

でもその日は、なんだか気分も上がらなかったし、冷たい雨もふってきた。早めに切り上げてもどることにした。

別荘の前に、作男のワーニャと小間使いのニーナが青い顔で立っているのが見えた。ふたりは、うちらを見つけると、わっとかけ寄ってきた。

『ぼっちゃまが、まだもどられません。探しにいったワーニャとレフが森の入り口で、ぼっちゃまのくつを見つけました』

ふるえながらニーナがにぎりしめていたのは、たしかにミーシャがはいていた黒のかわぐつだった。

いきなり、カーチャはまわれ右でかけだし、雨の森へ消えちゃった。

『あ、おじょうさま！』

『だいじょぶ、うちがカーチャもミーシャも連れもどすから』

うちはふたりにさけんだ。

『ニーナはここで待ってて。ミーシャが帰ってくるかもしれないでしょ。ワーニャは電波の届くとこまで行って、おうちの人に知らせて』

さけび終わらないうちに、カーチャを追っかけて走った。犬のレフもついてくる。

森はどんどん深く黒くなる。

うちの前を走っていたレフが急に立ち止まり、ぴんと鼻先を上げた。

その先にいたのは、カーチャだった。暗い中だったけど、顔が真っ青なのはわかった。なきそうな声で、ひっしに弟をよんでいる。

『ミーシャ、ミーシャ、帰ってきて』

うちもレフもいっしょにさけんだ。

『おーい、こっちだよミーシャ』

『わん、わん、わん』

うちらはさけびながら、そこいらじゅうかけまわった。

けれども、ちいちゃな巻毛の男の子は、かげも形も見えない。

やがて、カーチャとうちはへとへとになって、大きな木の根もとに座りこんじゃった。いつも元気なレフさえも、長い舌を出したまんま近くにうずくまった。

あたりはただ、さわさわ、雨が木の葉を打つ音ばかり。

森はうちらのことなんて知ったこっちゃないっていうふうに、静まりかえっていた。


ふいに、レフの耳がぴくんとした。

『あっ』

次にカーチャがさけんで立ち上がる。耳に手をあててじっとする。

『ミーシャよ、ミーシャの音、聞こえるでしょ、ゆん』

うちも耳をすましたけれど、雨の音しか聞こえない。

でも、カーチャはうれしそうに、青い目をらんらんと光らせているの。

うちの背中はなぜだかぞくっとした。

『カーチャ、一回帰ろう』

いいかけたときに、うちの耳にも聞こえたの。

――きいこ　きいこ
って。

あれは……ブランコの音。

もう背中どこの話じゃない、全身がぞくぞくしだした。だって、ここはブランコのある別荘から、少なくとも一キロメートルははなれているんだもん。ちっちゃなブランコの音なんか聞こえるわけないじゃない？

でも、聞こえたの、

――きいこ　きいこ
って。

やな感じがした。まぼろしのブランコに、まぼろしの男の子がのっている。そして、その男の子はもうすでに、この世のものでなく……。

横を見ると、レフまでふるえてるの。いつもはどうどうとして大きなそりも引ける強い子なのに、このときは耳をたれて、しっぽもすっかり足の間に巻きこんじゃって、ぶるぶるしながら、一歩、二歩とあとずさりする。

『きゅいーん、きゅいーん』

って子犬みたいな声を鼻で鳴らすの。

でも、うちはずっとふるえてるわけにはいかなかった。

カーチャが、音のほうへまっすぐかけだしたから。

うちも追っかけて走った。

『ミーシャ、ミーシャ』

カーチャのかけっこが、あんなに早いとは思わなかった。

ついていくのがやっと。

けど、カーチャはいきなりばったり止まった。

おかげで、うちは背中にげきとつして、やっと止まったんだ。

『ミーシャ……』

カーチャの声はかさかさして、すいこまれるように消えた。

カーチャの背中から顔を上げて、うちも息をのんだ。

ミーシャはたしかにいた。

ミーシャはねむっていた……とんでもないところでね。

ほんの三メートルぐらい先に、太く高い杉の木があった。そのみきを背もたれにして、巨大な茶色のくまが座っていた。

そのくまは、人間のおかあさんそっくりの手つきで、ミーシャをだっこしてた。やっぱり、人間のおかあさんそっくりのやさしい目でミーシャを見つめ、ときどきゆすった。

そのたんびに、

――きいこ　きいこ

って、ブランコそっくりの音がしたの。

くまがこっちを見た。

うちらとくまは、じっと見つめあったまま動かなかった。どれくらいの時間だったかは、わかんない。一分だったかもしれないし、一時間だったかもしれない。

やがて、カーチャがゆっくり動いた。ふかく息をすいこんでから、しずかな声でいった。

『わたしの弟を返して、くまさん』

カーチャは、くまがとてもおくびょうでこわがりな動物だって知っていた。

森でくまに出会ったら、絶対にびっくりさせてはいけない。ほんとは、しずーかにしずーかに、あとずさりして逃げるべきなのよ。さっき、レフがそうしたようにね。

けど、今回はそういうわけにいかない。

カーチャはひっしに、けどとても小さな声で、くまにうったえた。

『大事な弟なの。この子がいなかったら、わたし、生きていけないわ』

そのとき、ミーシャが目をさました。くまのむねの中で、ちっともびっくりしないで、こっちを見てわらったの。

『あ、おねえちゃん』

カーチャはしずーかにしずーかに、くまに近づいた。

くまはまっ黒なガラス玉みたいな目で、じっとカーチャを見た。カーチャが近づいてもびっくりしなかった。

やがて、カーチャのいってることがわかったみたい。

——きいこ　きいこ
っていいながら、ミーシャを地面に下ろした。

『おねえちゃん』

ミーシャはかけだして、カーチャのむねにとびこんだ。

『ミーシャ』

きょうだいはしっかりだきあった。

後ろで見てたうちは、はっと気がついた。

くまの前足になにかが巻きついている。ぺかぺか光って、ぼろぼろの紙もくっついている。よく見ると、ぼろぼろ紙にはいちごの絵がついている。特大のジャムの缶だ。つぶれた空き缶がくっついているせいで、くまが前足を動かすたんびに、

——きいこ　きいこ
って音がしてたんだ。

このくまさん、どっかでジャムの缶を見つけたんだね。手をつっこんでジャムをなめようと思って、こんなことになっちゃったみたい。

缶の口やふたはぎざぎざにとがって、毛皮の上からささってる。見てるだけでもいたそうだった。

うちはポケットを探った。

つごうのいいことに、うちはポケットに十徳ナイフを入れて歩いていたのよ。スイスのおじさんにもらったんだけど、十徳ナイフってなにかと便利なんだ。ナイフと千枚通し、ドライバーに、はさみに、ドリルに、やすり、のこぎり、スパナ、せんぬき、缶切りがいっしょになってる道具なんだから。

『くまさん、それジャマでしょ？　うちがとったげる』

十徳ナイフから缶切りを引き出して、うちは近づいた。そのときはもう頭がいっぱいで、こわ

いなんて思うすき間はちっともなかった。

缶は毛皮に深く食いこんでたから、とっても苦労した。缶切りだけじゃダメで、のこぎりと、やすりと、はさみも必要だった。

その間、くまはおとなしくしてた。うちが悪いことをしないって、わかったらしい。頭のいいくまだったので、うちは助かった。

けど世の中のくまの多くは、こんなに頭のいい子ばっかりじゃないんだよ。だから、森でくまに会ったら、ひなはしずーかにしずーかにあとずさりして逃げるべきだよ。

やっと、缶が全部はずれた。

くまは人間がじゅんび体そうするみたいに、何度か前足をぶるぶるふった。今にも、『あー、せいせいした』って、ロシア語でいいそうだったよ。

『『ありがとう、くまさん』』

カーチャとミーシャがいっしょにいった。

くまは、『いえいえ、どういたしまして』というみたいに首を横にふった。それから、背中を向けて、ゆっくり森の奥に消えていったの」

ひなはぶるっと震え、ふうっとため息をつく。それから、小さな声で聞いた。

「カーチャはそれから、弟にやさしくなったの？」

「それが、ちっとも」

ゆんは首を横に振る。

「前と全然変わんないよ。あいかわらず、ミーシャにえばって命令ばっかり。けど、そのあとすぐに、ふたりのおとうさんとおかあさんが、町からかけつけた。ミーシャが森でまいごになった原因を聞いて、カーチャはがっつりしかられた。うちはカーチャのべんごをした。だって、カーチャはどうどうと、くまから弟をたすけだしたんだから。いくらやさしいいくまだったって、そうとうな勇気だと思いますってね。

あ、それから、おとうさんとおかあさんは、ふかふかの羽根ぶとんを持ってきてくれたの。だから、夜はぬくぬくになった。けど、うちらはそれからあとも、三人いっしょのベッドでくっついてねたんだ」

ふたりは布団の中で声を合わせた。

「「めでたし、めでたし」」

くすくす笑いが止まらない。


ばーんと、ドアが開く。

「こら、まだ寝ないかあ」

シーツをかぶったおばけが部屋に飛びこんできた。

ふたりはきゃあきゃあいいながらおばけと戦い、協力してついにシーツをはがした。

「ううむ」

正体がばれてしまったので、えっちゃんはふたりをくすぐりだした。

えっちゃんはくすぐり天才マシーンだ。ふたりは転げまわって逃げたけど、すぐに魔の手に落ちてしまう。笑って笑って、笑い死にするかと思った。

「まったく、キリがない」

さすがのくすぐり天才マシーンも、疲れちゃったらしい。今度は絵本を何冊か持ってきた。

『赤ずきん』と『かにむかし』。

「うわ、なつかしー」

ひながちっちゃいときに、何度も読んでもらった。

「これ読んだら、寝んだぞ」

「「はーい」」

ふたりは布団にもぐりこんで、お行儀よく返事した。

でも、絶対眠れっこないって、ひなは思った。

ぶっ飛ばすと言われるけど、さすがえっちゃんはおばあちゃんだ。昔話なら、きっとイヌガミさんよりうまいと思う。えっちゃんが読むと、オオカミやサルやカニや石うすやなんかが、窓の外をうろうろしているみたいな気になる。

「まだ寝ないか、そういうまぬけな子どもは、これでも食らえ」

次に出した『おっとあぶない』は、いろいろなまぬけな子どもがあぶないことをしたせいで、いろいろ悲しい結末を迎える本だ。でも、それがおもしろくって、おっかなくって、ひなとゆんはくすくすもぞもぞしてしまう。

「次は、これですわよ」

と、えっちゃんは急に上品な奥様モードになって、空色の表紙の絵本を取り出した。真ん中にいるのははりねずみだ。

えっちゃんが読んでくれる本はどれもとても古い。全部の本の裏表紙に、油性ペンのへたくそな字で《さかいしゅうじ》って書いてある。おとうさんの子どものころの本なのだ。

しずーかなしずーかな声で、えっちゃんはその絵本『しずかなおはなし』を読みはじめた。

モビールは、顔の上でゆらゆら揺れる。ベッドサイドのだいだい色のライトを透かした、セロハンの色もずいぶんぼんやりしてきた。

オオカミやサルやカニや石うすはもうねぐらに帰った。はりねずみたちも、すっかり丸まった。

夜はしんみりとても静かだ。

おはなしの最後までいかないうちに、ふたりともぐっすり寝てしまった。

ひなは夢すら見なかった。

まったくもって、完璧なお誕生日だった。

Ⅷ 『おどるパウラにうたうジョン』

夏休みになった。

ほかの子たちがプールや虫捕《むしと》りや、キャンプや旅行をしてるときも、ふたりはファンの店でおしゃべりしたり、図書館でそれぞれの本を読んだりして過ごした。

夏休みも終りに近づいたある日、ゆんが図書館で『おっとあぶない』によく似た絵を見つけた。その本、『けんこうだいいち』、『みてるよみてる』は、あいかわらず悪い子やまぬけがいっぱいでてきて、はらはらしたりおっかしかったりで、ふたりは肩や腕をくっつけあって読んでは、同じ場所でくすくす笑う。あんまり同じ場所で笑うのがおっかしくて、それでまた笑い転げた。

「この本、えっちゃんやおとうさんに見せてあげたい、知ってるかな」

と、ひなはこの二冊を借りた。


八月最後の日、ひなは走って公園に行った。

挨拶の、

「「オワチャッ！」」

を済ませると、勢いよく言った。

「あのね、わたし、病気よくなったの。きのう、お医者さんがいったの」

ゆんはぱっと顔を上げて、

「きゃほー」

って叫んだ。ひなの手をとって、ぴょんぴょん飛び跳ねた。

ふたりはしばらく、ぴょんぴょん飛び跳ねて、ぐるぐるまわって、さんざんに意味不明の踊りを踊った。

とうとうひなは息を切らせて、熱々の地面にぺったり座りこんだ。

ゆんもいっしょに座り、ひなの顔を心配そうにのぞきこむ。

「だいじょうぶ？」

「うん、もう運動してもいいの。学校の体育も。それにそんなにしょっぱくなければ食べてもいいの。ラーメンだってカレーだって。まずいキャベツスープばっか食べなくてもいいんだよ。給食もだいじょぶだから、もう早引けしなくっていいんだ。わたし、ほかの子とおんなじになったんだ、えへへ」

ひなは口を開けて、息を吸うのと吐くのと、笑うのとしゃべるので忙《いそが》しい。

「ふうん……よかったね、ひな」

ゆんの言い方はちょっとおとなしかった。

けれども、ひなはちっとも気がつかない。

ゆんはすっくと立ちあがり、

「じゃあ、ファンの店でお祝いしよう」

いつもみたいに元気に言った。


ファンは花の香《かお》りのお茶と、ココナッツケーキを出してくれた。

ココナッツケーキは、もやもや白い毛のはえたおかしなボールだ。口に入れると、ほろほろ崩《くず》れ溶《と》けてしまう。あとに香《こう》ばしいココナッツの風味が、鼻や口の中に残った。

ひなはうっとり目を閉じ、できるだけゆっくりお菓子を味わった。急いで食べたらもったいない。

「これ、ファンさんが作ったの？　すごくおいしい」

「恐れ入ります」

あいかわらずの無表情で、ファンは湯呑を磨く。

ひなは三つめのケーキを取って、また目を閉じてうっとり食べた。うっとりしすぎて、何も考えずに言ってしまった。

「こんなにおいしいんだったら、ひょうばんのショーロンポーも食べてみたいなあ」

ぱりん。

ひなが目を開けると、ファンはいなかった。

カウンターの中をのぞくと、床に這《は》いつくばっている。さっきの湯呑は粉々になっていた。かけらを拾い集めながら、ファンはかすれた声で聞いた。

「ひなさま……先ほど、なんと？」

「あ、えっと、しょー……」

「しょー？」

ファンは這いつくばったまま、動かない。

ゆんがひなの足を軽く蹴《け》った。

それで、ひなははっと思い出す。

「しょ……しょう、しょうぼう車がさっき、通ったけど火事なのかなって」

「そうそう、しょうぼう車通ったよね、しょうぼう車、あはは」

「赤いね、あれは」

「そうそう、うんと赤いよ。そんで、音が出るよね」

「そそそ、大きな音がね。うーうーだっけな？」

「ぴーぽーぴーぽーじゃないっけ？」

「あはは、どっちだったかねえ、ねえ『しょうぼうじどうしゃじぷた』って本あったよね」

「あったあった」

「あっはははは」

ひなとゆんはわざとらしく笑いながら、知ってる限り消防車についての知識を語り続ける。

その間にファンは湯呑のかけらを片付け、奥に引っこんでしまった。

ふうっと、ひなはため息をついた。

その頭を、ゆんがげんこつでこつんとたたく。

「もーひなはー、もっとおかしが食べたかったのにー」

「ごめん……」

困った顔をしばらく見合わせたが、同時にぷっと吹き出した。それから大笑いになった。

ゆんはお皿の白いもやもやをひとつ指でつまんで見つめた。

「ココナッツか……」

その声がちょっと気になって、ひなは隣を見た。

ゆんはさびしそうに見えた。でもそれはほんの一瞬のことだ。手にしたココナッツを、ぺろんと食べて、ゆんはにっこりひなを見た。

「ハワイに、パウラとジョンという、大のなかよしがいたんだ……」

『おどるパウラにうたうジョン』

「あれは、うちがオアフ島の北の浜、ハレイワタウンにいたときのこと。ワイキキにくらべたらのんびりした、ひなたぼっこしてるおばあちゃんみたいな町だった。

マラサダ屋のパウラの黄色いワゴンは、海を見下ろす丘《おか》の上に毎日来た。

パウラは顔も体もマラサダみたいな真ん丸で陽気な、赤毛のおじさん。せまいワゴンの中で、真っ赤な顔でふんふん歌いながらマラサダを作る。そうやってできるマラサダがまずいわけないね。

あ、マラサダってね、ハワイの穴のない真ん丸ドーナッツのこと。

パウラんとこのは、ココナッツシュガーがびっしりまぶされてて、赤ちゃんの頭くらい大きいの。でも、ふわっふわでココナッツがあとを引いて、二個も三個もぺろっと食べられちゃう。

丘の上には、巨大なサーファーのかんばんがあって、すぐ下にベンチが置いてある。かげになってすずしいんで、パウラのお客はそこに座ってマラサダを食べるの。

ヤシの木立と白い砂浜が見下ろせて、その向こうに海がある。

お天気がいいときの海の色ったらたいしたもんよ。エメラルドやターコイズ、サファイア、ラピスラズリにタンザナイト……世界中の青い宝石を総動員してもあの色にはまったくかなわない。

そんな海をながめながら、ふわふわあまあまのマラサダを食べるってのは、天国っていうのはたぶんこんな場所だろうなって思うくらい、いいものなんだ。

その日はめずらしく、お客はうちだけだった。

パウラはワゴンから出てきて、いっしょにベンチに座った。大きな茶色の紙袋をどさんと置く。こげたり、つのができたりした、できそこないのマラサダがいっぱい入ってた。

『ないしょだけど、こいつがうまいんだよ。わざと作るくらいだ』

パウラはあっという間に、大きな袋いっぱいのマラサダを全部たいらげちゃった。満足そうに丸いおなかをなでまわす。

『ふうーやれやれ、昔はぱきっと六つに割れてたんだがな。マラサダ魔女の魔法にかかって、今やこんなありさまだ』

うちがわらったら、

『嘘だと思ってるね、おちびちゃん。だけど、あれはおれがモデルなんだぜ』

パウラはサーファーのかんばんを指さした。

うちはわらいすぎて、ベンチから転げ落ちそうになっちゃった。

だって、そこにかかれていたのは、すらっとしたイケメンサーファーなんだよ、ゆうゆうと波にのってて、たしかにおなかのきん肉がぱきっと六つにわれてる。

『なあに、ほんの三十年ほど昔の話さ』

　パウラはエプロンのポケットを探り、パスケースを取り出した。

『ほら、そのころの写真だ』

　うちはパスケースをつかんでようく見た。

『え？　え？　え？　え？』

　そこにいたのは、まさしく、おなかがぱきっと六つにわれたサーファーだ。かんばんと同じ水着姿でポーズをとっている。

　うちはいそがしく三角形に首を動かして、写真と、目の前のパウラと、かんばんを見くらべた。首をさすりながら、とうとうみとめざるをえなかったの。

『マラサダの魔女って、すごい魔法をつかうんだね』

　今だって信じられないんだけど、写真のイケメンサーファーは、ほんとにパウラだったんだ。

　パウラはとくいそうにむねをはる。

『だろう？　おれがあんまりにかっこよかったんで、看板モデルに頼まれたんだ。看板は何度も塗《ぬ》り直したり修繕《しゅうぜん》してるからあのころのままだけど、モデルの方はそうもいかなかった』

　うちはまだ信じられずに写真を見つめる。

『パウラはサーファーだったの？』

『いいや、おれはモデル兼……ダンサーだったのさ！』

　パウラはひらりとベンチから飛び上がると、うちの目の前でおどりだした。

うちはびっくりして口を閉じられなくなった。

そんじょそこらの、おじさんのダンスじゃない。

パウラは月の上にいるみたいに軽やかにステップし、ゆうがにジャンプした。モスクワのバレエ団員がチュチュとトウをそろえておじぎするくらい。

かと思うと、はげしく頭をふって、きれっきれに手足をふりまわす。ニューヨークのストリートキッズたちが全員キャップをとってむねに当てるくらい。

たん！

最後のステップがはげしくひびくと、後ろでせい大なはく手がした。

ふり向くと、五、六人の人たちが足を止めて口ぶえ吹いたり、かん声を上げてた。

うちも思いっきりはく手した。

『すごーいパウラ』

パウラは汗まみれの髪を、きらっと払って、

『ま、昔のことさ』

マラサダを売りに、ワゴンへもどっていった。

うちはそれから海へ下りて行って、地元の子らと遊んだ。

日がかたむいてきたんで帰ろうとしたんだけど、うっかりパウラのパスケースを持ってきちゃ

ってるのに気がついた。ポケットにつっこんであったんだ。

夕やけの丘の白い道を、うちはあわててかけ上った。

パウラはちょうど、ワゴンを片付けてるところだった。売り場を閉めて、あちこちふいていた。

『やあ、おちびちゃん、今日という日を楽しんだかい？』

『うん、とっても。ごめーんパウラ、うち、うっかりこれを持ってっちゃった』

『おーや、そいつはおれも気づかなかった』

パウラはわらいながら、うちからパスケースを受け取り、

『危ないとこだった、大事な写真だ』

例の写真を確認する。

うちはのぞいて、写真を指さす。

『あ、そうそう、この人だれ？』

若くてやせたパウラのとなりに、楽しそうにVサインする男の子がいた。

パウラの顔にかげがかかったように見えた。でもそれはほんの一秒の何分の一の間で、いつものにっこり顔にもどった。

『ああ。相棒のジョンだ。やつとは親友だった。小学生のころからずっといっしょで、そりゃあ仲がよかったんだ』

『ナイスなファッションだね』

うちはくすくすわらった。

黒い髪に赤いバンダナをして、そでのないデニムジャケットを着ている。パウラより頭ひとつ背が低いけど、負けずに陽気な笑顔だ。

『こいつはシンガーを目指していたんだ。やつがギターを弾《ひ》いて歌って、おれが踊るのはそりゃあ大好評だった。《おどるパウラにうたうジョン》ってね、女の子たちはきゃあきゃあいうわ、いろんな催《もよお》しには呼ばれるわ、大した人気だった』

うちはなんの気なしに聞いた。

『ジョンは、今どんなふうになってるの？』

パウラの片っぽのまゆ毛が、ぴくんと動いた。

『うん、ケンカしちゃってな……それっきりだ』

『ふうん』

そのときは、うち、パウラの気持ちを考えなかった。だって、ほかにずーっと考えていたことがあったんだもん。

『パウラ、お願いがあるんだけど』

『うん？』

『ほんんっとに、ほんんっとに！』

ぶるぶるふるえるくらい、力をこめていった。

『さっきのダンスはすごかった。うちに教えてほしいの。うち、パウラみたいにおどってみたい！』

『う――――ん』

パウラは頭をごしごしかいてちょっとこまった顔をした。でも、うちは心をこめて一生けん命にお願いして、とうとう最後にＯＫしてもらえた。

『なら、明日は一日オフだから、午後から教えてやろう』

『きゃほー！』

うちは何度もぴょんぴょんそこらをはねまわった。


というわけで次の日、砂浜でカコクなダンスレッスンが始まったの……なんて、うそ！

パウラの教え方はとても上手でゆかいだったから、うちは楽しくてしょうがなかった。

もちろん、ダンスはユニークでむずかしくって、最初はなかなか思うようにはいかない。くり返しくり返し練習して少しずつ少しずつ、のりこえていったんだ。

あっという間に日はくれて、海はトパーズやこはくの色から、アレキサンドライト、ルビー、それからガーネット色へと変わった。

ついにその時が来た。なにもかもがうまくいったの。

そういうときって、次のふりつけがどうだとか、正確にステップをふまなくちゃとか、頭では一切考えない。ただ心の中のビートに、体をすんなりのせてなすがままに動くだけ。まるですてきなボートにのって、波のない海へすうっとこぎ出すみたいにね。

うちとパウラは、おたがいがおたがいのかげみたいに、ぴったり合わさっておどった。

たん！

最後のステップが決まった。

一しゅん静かな間があって、それから、

『パーフェクト！』

って、パウラがさけんだ。

『きゃほ――！』

うちとパウラは、何度もハイタッチした。

『ブラボー』

『イエーイ』

気がつくと、まわりははく手と口ぶえでいっぱいだった。たくさんの地元の人や観光客たちが、うちらを見ていた。

『え、いつの間に……』

はずかしかったけど、とってもとってもうれしかった。うちは感動してパウラを見上げた。

『ありがとう、パウラ、うち絶対、今日のダンスをわすれない』

パウラはうんうんうなずいて、やさしい顔でうちを見た。

『よくやった、おちびちゃん。今日のはいい思い出になったな。友だちといっしょにいるときは、一分一秒だって大事に楽しまなくっちゃいけない。こんなおっさんだとしても、友だちってのはいいもんだろ？』

そこで、うちは思いついた。今なら、簡単に聞いていいことじゃないってわかるけど、このときは変なテンションのまま、うっかり聞いちゃったんだ。

『なんでジョンとけんかしたの？　パウラ』

パウラはびっくりはしなかった。ただ、やさしい顔が夕やけ色にそまっていく。

うちは自分のまちがいに気がついた。きっとパウラの心の中の、うんとやわらかいところをふんづけちゃったんだ。

『あ、パウラごめん……』

『いいや、もうずいぶん昔の話だ。しかし今でも、思い出すと痛いんだ』

パウラは自分のむねをげんこでぽんぽんとたたいた。

『おれが悪かった。ほんの冗談《じょうだん》のつもりだった。ジョンのことを下手だって、笑ったんだ。ジョンがどんなにシンガーに憧《あこが》れていたのか、誰よりも知っていたはずのおれが、ジョンの歌を鼻で笑ったんだよ』

パウラとうちは砂浜に並んで座った。

夕やけはすっかり消えて、あたりはアメジストからサファイア色の夜がせまっていた。浜には観光客もぽつぽついたのに、みんな夜の魔法にかかったみたいに静かだった。

うちとパウラも、しばらく口をきかなかったので、あたりにあるのは波の音だけだ。

ほほえみながら、パウラは話しはじめた。

『けんかなんか、それまでに何百回とやった。だからそのときも、カッとなったジョンがおれをなぐってきて、ごろごろ取っ組み合いやって……そんないつものパターンでおしまいだと思ったんだ。

だけど、ジョンはおれに背を向け、黙って行っちまった。タイミングが悪かった。ジョンは、本土のコンクールにデモテープを送って、その結果がわかった直後だった。

けどな、タイミングより何より悪かったのは、おれが友だちをずいぶん雑に扱ったってことだ。仲よしの友だちがいるってのは、水の上を歩くぐらいすごいことなのに』

うちは砂をつかんでさらさら落とした。

『今どこにいるか、わかんないの？』

『まったくわからない。今みたいに、もれなくモバイル持ってる時代じゃなかったしな。仲直りしないうちに、やつは親戚ごと本土へ引っ越しちまった。ジョンもおれも、ふたりとも意地張って、引っ越しの日になってもお互い会おうとはしなかった。

若い時ってのは、ばかなくせにプライドばっかり高くってなあ、それが……最後の別れになるなんて、想像すらできなかったのさ』
波の音にまぎれて、パウラの声がささやいた。
『だから、友だちはうんと大切にするんだぞ、わかったな、おれの若い友だちよ』
『うん、わかった』
うちはきっぱりうけあった。

それから何日かあとのこと。

うちは丘の白い道を上って、またパウラのワゴンへ行った。

パウラはあいかわらず、真っ赤な顔でふんふん歌いながらマラサダを作っていた。

うちは熱々のマラサダを手に例のベンチに座った。いつものように海風はすずしいし、マラサダはおいしい。

食べながら、浜辺のあたりを見下ろす。

『ん？』

海岸沿いの道を、真っ黒でぴかぴかの、そしてとてつもなくながあああああい車が走ってくるのが見えた。ながあああい車は、こっちの丘の道へ入りたいらしい。でもあんまりにもながああああいもんだから、うまく曲がれないの。それどころか道をふさいじゃって、じゅうたいが始まっちゃった。

クラクションの音に、パウラもワゴンから出てきた。

うちはココナッツシュガーだらけの指でさす。

『ねえ、あのながあああい車って、リムジンだよね。どっかのすごいセレブがパウラのマラサダを買いにきたのかもよ？』

『まあ、おれのマラサダが食いたいのはわかるが、ありゃあちょっと迷惑《めいわく》だなあ』

そのうち、ながあああい車は曲がるのをあきらめたらしい。わきに寄せて止まると、人がひとり、ぽろんと出てきた。ぐんぐん丘の道を上ってこっちに来る。続いて何人も車から出てきて、その人のあとを追いかけた。

――ぶしゅっ！

うちは思わずとなりを見上げた。思い切りふりまくったソーダのボトルを開けたときみたいな音が、パウラからしたんだもん。

パウラの両目も口も最大限に開いていた。手はだらんとたれ、足はがくがくふるえている。

『パウラ、どうかした？』

たぶんパウラには、うちの声なんて聞こえてない。彼の目はひたすら、丘を上ってくる人に注がれていた。

すごい人だった。うちも目がはなせなくなった。銀色のうろこみたいな……そう、ミラーボールで作ったらあんなぎらぎらスーツができるかもね、そいつを上下着こんで、おそろいのぎらぎらぼうしと、おでこから鼻までかくれるような巨大なサングラスをかけてるの……あれが宇宙飛行士のマスクじゃなければ、たぶんサングラスだと思うんだけど、ちょっと自信ないな。

そんなぎらぎら星人がすごいいきおいで、こっちに走って来る。

これは逃げたほうがよさそうだってうちは思った。でも動けない。

そうしてる間に、ぎらぎら星人はすぐ近くまで来て、大声を上げた。

『パウラ――――！』

パウラは逃げ出さなかった。代わりに大声で答えたの。

『ジョ――――ン！』

うちも叫んだ。

『え、ええ――――！』

目の前で、ふたりはがっちりだきあった。それから、よくわかんないんだけど、どっちかがどっちかをぽかりとなぐって、なぐられたほうがやり返して、とうとう取っ組み合いになって、ふたりは草の上をごろごろ転がったの。

『マエストロ、おけがをします』

『おやめください、マエストロ、マエストロ』

追いかけてきた人たちが追いついたころには、決着はすっかりついて、ふたりのおじさんは草だらけ土だらけで地面に座って、かたを組んで大わらいしていた。

追いかけてきた人たちがてきぱき働いて、丘の上には銀色のシートがしかれ、銀色のコーヒーセットと、あつあつのコーヒーが用意された。さすがにコーヒーは銀色じゃなかったんで、ほっとしたよ。パウラはワゴンから、ありったけのマラサダを持ってきた。

うちもおよばれして、すてきなピクニックが始まった。

ジョンは、今やアメリカ本土で知らないものはない大作曲家だった。ひなだってきっと知ってる、数々のスターシンガーに楽曲をていきょうしていて、ミュージシャンたちからすうはいされていた。でも、ジョン本人は決して、ステージ上やカメラ前には出なかった。

『だって、おれは歌が下手だから』

って、彼はパウラを見てにやにやした。

パウラはだまって、あつあつのマラサダをジョンの口につっこんで、ふたりはまた取っ組み合いになりかけて、うちやお付きの人たちに止められた。

うちはぎらぎら星人をちらちら見て、『ナイスなファッションだなあ』と心に思ったけど、さすがに口には出さなかったよ。でも、こうはいってみたの。

『あのう……ジョンさんは島を出てから、いくぶん変わったみたいですよね？　パウラが変わったように』

『何言ってんだい、おちびちゃん』

パウラがぐいっとぎらぎら星人のかたをつかんだ。

『こいつはちっとも変わっちゃいない』

ジョンとよばれたぎらぎら星人も、ぐいっとパウラを押し出した。

『こいつもちっとも変わっちゃいない。動画を見た瞬間《しゅんかん》、パウラだってわかったぜ』

『『動画？』』

うちとパウラは口をそろえて聞いた。

お付きの人がささっとタブレットを見せてくれた。

『わわわあ』

うちはおどろいた。動画投こうサイトに、夕日の中のうちとパウラのダンスが上がっている。

どうやら、見物人のだれかが勝手にさつえいしてアップしたらしい。

『おいおいひどいな、こんなことは違法《いほう》だ』

パウラはぼやいて、タブレットをひっつかもうとした。その鼻先で、

『そう、けしからんことだ』

大作曲家はタブレットをかっさらい、うちによく見えるようにしてくれた。

『おじょうちゃんはやっちゃいけないよ、でもおれはたまに見ちゃうんだ』

大作曲家はぐう然ハワイに来る予定があって、自家用ジェットの中でぐう然、動画を見たんだって。

動画はすてきなできだった。夕日に染まる空と海と浜は、なみだがこぼれるくらい美しい。おどるうちとパウラはほとんど黒いかげで、画面はななめにかたむいているんだけど、それがかえってドラマチックでプロのダンサーみたいだ。

うちは首をかしげた。

『でも、これじゃ、うちらの顔も服も全然わかんないよ』

ジョンが体をゆらすと、スーツはいっそうぎらぎら光った。

『一目で、パウラだってわかった。こんなステップが踏《ふ》めるやつはほかにいない』

ジョンはタブレットをほうりなげ、お付きの人がみごとにキャッチした。

代わりにギターを受け取ったジョンは、その場に立ち上がる。とびきりすてきな曲をかなでながら、歌を歌いだした。

そのリズムったら！　そのメロディーったら！

うちとパウラも自然に立ち上がって、あのダンスをおどった。このステップにこれ以上ぴったりの曲はないってぐらい、ぴったりの曲だった。

それこそが、伝説の『おどるパウラにうたうジョン』復活のしゅん間だった」

ゆんはちょっと鼻をすすり、手のひらで顔をごしごしこすった。

ひなはぶるっと震え、ふうーっと息を吐いて体中の力を抜く。ゆんのおはなしを聞くとよくこうなる。

体をほぐしてから、やっとぱちぱち拍手した。

ファンが奥から出てきた。さっきのショックから立ち直ったらしい。

お茶のお代わりをもらって、ふたりは残りのココナッツケーキを食べた。

ひなはちょっと気になっていた。

「えっと、ジョンの歌はどうだった？」

ゆんは肩をすくめ、澄まし顔で答えた。

「うーん、マエストロのめいよにかかわる話だから……そいつはいえないなあ」

ふたりはけらけらくすくす笑い、それから声を合わせた。

「「めでたし、めでたし」」

夕方の斜めの光が、公園に長い影を映す。まだ八月なのに、昨日よりも夕焼けの赤はずっと濃《こ》くなった。

ばいばいのとき、ゆんはひなの手を取り、ふたりは握手《あくしゅ》した。

ゆんはじっと、真面目な顔でひなを見る。

「学校が始まったら、ひなはいそがしくなるね」

いつものように、ひなが聞いた。

「また遊べるよね？　ゆん」

ゆんは答えなかった。にかっと笑って、手を離した。

くるんと身をひるがえし、てけてけてけってけって、駆けていっちゃった。

IX 『虹いろ図書館のひなとゆん』

ゆんの言ったとおり、学校が始まったらひなはとても忙しくなった。早引けしなくなったから、帰りに公園を通る時間はだいぶ遅《おそ》い。

ひなが通る夕方には、あの派手なシャツの女の子は、ジャングルジムの上にいなかった。

それでもゆんにはいつでも会えると、ひなは考えていた。今は学校に慣れる方が大事なんだからしょうがない、そう思っていた。

二学期からのひなは、お客さまじゃなかった。

夏の間に勉強も追いついた。もう、プリントを見せてもらわなくても大丈夫だ。

クラスの子の性格もぜんぶ把《は》握《あく》した。班の子や女子はみんなあだ名で呼ぶし、ひなは女子からは「ひなっち」と呼ばれるようになった。いっしょにおしゃべりして、しょっちゅう笑わされたり、笑わせたりした。

秋はそろそろ深まり、夕方はどんどん早くなる。十月になると、三時過ぎの日はだいぶ斜めだ。

ひなは、五、六人の女子のクラス友だちと下校した。

すずめの群れみたいにぺちゃくちゃしゃべりながら歩く。話題はぱちぱち花火の火花みたいにあちこちへ飛ぶが、中心はあさっての里中さんのお誕生会だ。これから、みんなでプレゼントを選びに行くと決まった。

公園の前に差しかかり、ひなの足がぴたりと止まった。

緑と赤と黄色のしましまが目に入ったからだ。

ゆんは夏と同じだった。

冷たい風の吹く日だったのに、Ｔシャツ姿でジャングルジムのてっぺんにいた。日に焼けた顔はくっきりとして、髪はどっさりはち巻きからあふれていた。金のネックレスが北風にかちゃかちゃ鳴り、しゅっと伸びた足には黒のサンダルしかつけていない。

ニットジャケットを着こんだひなの方が、間違って時間を先に進んじゃったみたいだ。

今でも、ゆんはやっぱりきらきらまぶしい。懐《なつ》かしさがリボンみたいにひなの体に巻きつき、気持ちが喉までこみ上げる。

ジャングルジムのてっぺんで、ゆんはゆっくり首をまわした。そして、はっきりまっすぐ、ひなを見た。

「ひなっち、どうしたの？」

まわりの友だちが、ひなの見てる方向をいっしょに見た。

ひなが口を開こうとしたとき、班長のノマドにがっちり腕をつかまれた。

「さっとんのプレゼント、今から買いに行くっしょ？　ひなっち」

「え？」

「急がないと、塾《じゅく》の時間になっちゃう。行こ行こ」

「うん……」

ひなはだらりと力を抜く。

ノマドに引っ張られ歩きだす。公園に背中を向けて、とぼとぼ離れた。

わたしの背中をゆんは見ているの？　とひなは思った。


線路沿いの雑貨屋さんへ行った。

「やあ、かわいー」

「どれにする？」

女子たちは歓声《かんせい》を上げて店内へ散らばっていった。

ひなの目にはどの雑貨も映らない。ただぼんやり足を動かし店へ入った。

「ひなっち、さっきの子さあ」

振り返ると、ノマドがいた。

「かかわりあいにならないほうがいいよ。うちのおかあさんがいってた」

ひなはやっと顔だけ上げる。体がこわばって、まわりの空気が氷になった気がした。

女の子たちが集まってくる。

「そうそう、あの子、ほとんど学校行ってないんだってよ」

「とんでもない不良だってさ、四小の子がいってたよ」

四小は駅向こうの学区だ。

「ふうん……」

ひなは返事をしたけれど、自分の声じゃないみたいだ。

「あのカッコ、やばすぎだよね？」

「あ、いけないんだそういうの、サベツなんだから」

「でも、実際問題といたしましては」

「きゃははは」

笑ってる子たちを放って、ノマドはひなをまっすぐ見た。

ノマドこと、井上まどかは頭もよくて、服も髪もきちんとしている。嘘や人の悪口は言わない。いつでも、正しいことがわかってる子だ。

「うちのおかあさん、四小のおかあさんたちと読み聞かせボランティアやってんの。あっちの学区じゃ、あの子はけっこう有名。学校にはめったに来ないし、あやしいハンカガイとかに出入りしてるし、キレると手がつけられないんだって。四小の子とか、先生とか、何人もけがさせられたんだって」

「ケガサセラレタンダッテ……」

ひなは機械みたいに繰《く》り返《かえ》した。体は凍《こお》ったまんまで、唇を動かすのもつらい。

ひなの様子にかまわず、まっすぐな目でノマドは続ける。

「それにとんでもないうそつきなんだって。自分はどっかの国のプリンセスなんだとか、平気でいうんだってよ」

「なにそれ、ちょーウケるんすけど」

「いやね、女の子はみんなプリンセスなのよ」

まわりの子たちの笑い声も、ひなには届かなかった。ひなはずいぶん前から、氷の塊の中にいた。

ノマドは腕を組んで、ため息をひとつついた。

「ま、四年生にもなって、そんなの信じる人っていないと思うけど、いちおういっとく。ひなっちって、ちょっとぽわんとしてるっしょ。それにさっきあの子、ひなっちのほうじっと見てた。もしかして、あの子と知り合いなの？」

「マジ？」

「うそでしょ？」

「ひょっとして……」

ノマドとまわりの女の子は一斉《いっせい》にひなを見た。たくさんの目に押され、ひなは一歩あとずさりした。

「ううん」

誰かに頭をつかまれて、強引に左右に振らされてるみたいだ。

「知らない、あんな子なんて……知らない、会ったこと……ない」

どこか遠くで鳴っているみたいだったが、それはまさしくひなの声だった。

みんながさっとんのプレゼント選びにもどっても、ひなのまわりの氷は溶けなかった。どうやって買い物をして家に帰ったのか、よく覚えていない。

ひなはその夜、高い熱を出した。

熱は次の朝に下がったが、おとうさんとおかあさんは心配して、学校に休みの連絡《れんらく》をした。えっちゃんが呼ばれ、ひなは病院へ連れて行かれた。

「そうだねえ、安心のために、ちょっと入院しようか」

主治医の遠藤《えんどう》先生は言った。

遠藤先生の言うとおり、入院は二晩で済んだ。

えっちゃんがお迎えに来て、ひなは家に帰り、早めの昼ごはんになった。

メニューは久しぶりのキャベツスープとパンだった。

「こいつはおいしいよ、生姜《しょうが》がポイントなんだあ」

キッチンで、えっちゃんはデザート用のフルーツスムージーを作ってる。

ひなは聞こえない振りで、もそもそ口いっぱいパンをほおばり、だるそうにスープをすくう。

なんでもないって顔で、えっちゃんはミキサーに凍ったバナナやパイナップルを放りこむ。

「検査しても悪いとこなかったってさ、よかったね。あんた、疲れるまで遊びほうけてたんじゃないの？」

ひなはスプーンの手を止めた。

口の中のパンを急いで飲み下す間、スプーンがお皿に当たってかちかちいった。ひなの手が震えていたからだ。やっと飲みこんで言った。

「遊びほうけてなんかないもん」

がちゃん！

スプーンがお皿にたたきつけられた。

「あにすっだ、ひな子」

さすがのえっちゃんも声が大きくなる。

ひなが一番びっくりしていた。

「あ、あ……ごめんなさい」

寝ぼけて隣の人をぶっちゃったような気持ちだ。

「まったくもー」

えっちゃんはミキサーから手を離し、流しへ向いた。

「ほれよう」

ぽーんと台布巾が飛んできて、受け取ったひなはこぼれたスープをふいた。


えっちゃんは壁の時計を見上げて、エプロンを取った。

「あ、お使い行ってこねえと。ひな子、ちっと留守番してろ」

えっちゃんが出て行きドアが閉まると、部屋の中は耳が詰まるぐらいしーんとなった。

ひながひとりソファでぐんにゃりしていると、すぐ後ろで家の電話が鳴った。

無視しようとしたけど、電話は鳴り続ける。

またおとうさんが留守番電話にするの忘れたせいだ。こないだ親戚のおじちゃんの大事な電話をとらなくて、おかあさんに叱られたっけ。あ、えっちゃんからかもしれない。

だらだらと起き上がって、だらだらと受話器を取った。

「もしもし」

――逆井さまのお宅ですか？

きちんとした大人の男の人の声だ。

セールスの電話だと思って、ひなはぶっきらぼうになった。

「今、だれもいません」

すると電話の向こうの人はちょっと笑った。

――おかしいなあ、じゃ、電話をとってるあなたは誰ですか？　透明人間ですか？

「え？」

ひなは受話器をぎゅっとにぎる。これって、うわさに聞くヘンタイかもしれない……どうしよう、怖い……。

ところが、電話の向こうの声は、またきちんとなった。

――逆井ひな子さまはいらっしゃいませんか？　私、市立図書館のイヌガミと申します。

ひなは、ほっと手をゆるめた。この人はヘンタイじゃない……たぶん。

「なあんだ、イヌガミさんか。なに？」

よく聞けば聞きなれたイヌガミさんの声が、また少し笑った。

――なあんだじゃないですよ、逆井ひな子さま。今、借りてらっしゃる図書館の本はございませんか？

「あ！」

ひなは口に手を当てた。

そうだ、このところ図書館に全然行ってない。借りっぱなしの本がある。夏休みの最後の方に借りたやつ。『けんこうだいいち』と『みてるよみてる』、途方《とほう》もなく期限が過ぎてる。

背中にのったり冷たい汗が伝う。ひなはか細い声で答えた。

「ごめんなさい、二冊借りてる……ます」

――ふむ。図書館に返しに来られますか？

「はい。今から行きます」

――ほんとに？　ほんとに今すぐ来られる？

「はいっ、すぐに行きますっ」

受話器を置き、ひなはあわてて自分の部屋へ本を探しに行った。


手さげをかかえて、足早に図書館の階段を上った。

イヌガミさんはカウンターにいた。ちいちゃな子に紙しばいの貸出をしている。

二階フロアは静かだ。この子のほかには、向こうのテーブルに勉強している女の子がひとりいるだけだ。

ちいちゃな子のバッグに紙しばいをしまってあげて、ばいばいしてから、イヌガミさんはひなを見た。

「こんちは、ひなさん」

ニューヨーク式に、ぐうをこっちに向けた。

ひなはぐうを出さないで、見ない振りをした。うつむいて『けんこうだいいち』と『みてるよみてる』をカウンターの上にのせる。

「すごくおくれました。ごめんなさい」

イヌガミさんはぐうを引っこめ、静かな声で聞いた。

「ひなさん、元気だった？」

そのとたん、目の奥がぐっと熱くなり、喉がきゅうと痛んだ。でも、ひなはふんばってなんとか普通の顔をした。

イヌガミさんはぴっ、と、返却のスキャンをした。

「はい、これで確かに全部お返しいただきました」

立って行って、二冊を《きょう　かえってきた　ほん》の棚にのせた。それからカウンターにもどって、分厚い書類をめくり、かたかたキーボードをたたきだす。

ひなはカウンターに背中をくっつけもたれる。うつむいていたら、ぽろりと言葉がこぼれた。

「わたし、ゆんのこと……」

かたかた、かたかた。

聞かれても聞かれてなくても、どっちでもよかった。

「だって、ゆんはうそつきだって、まわりの子にいわれて、いろんなことが、わかんなくなっちゃった」

かたかた、かたかた。

「ゆんって、なんてひどい子なんだろう……まんまとだまされた、わたしばかみたい……すっごく頭にきた。もうなにも信じられない……全部のやる気がなくなっちゃって、それで、それで、それで……」

かたかた、か。

キーボードの音が止まり、イヌガミさんの声がした。

「今もそう思ってる？」

「……わかんない、でも、うそはよくないことでしょう？　うそで人をだますのはいけないんだよね？」

「うーん」

振り向くと、イヌガミさんはじっとコンピュータ画面を見ている。

「確かに嘘はよくない。自分を大きく見せたり、人を傷つけたり、ことによると命にかかわるような重大な結果を招くこともある」

自分がついた嘘を思い出して、ひなは思わず顔を伏せた。

「でもね、ひなさん」

イヌガミさんの声は静かでやさしい。

「こないだ、脳みその筋肉の話をしたの覚えてる？」

うつむきながらも、ひなはかすかにうなずく。脳みそ筋肉って、変だから覚えてる。

「本をたくさん読んで脳みそに筋肉がつくと、ちょっと高い場所から全体を見ることができる。この話で得するのはだれかな？　とか、どうして普通の新聞や教科書に載ってないんだろう？とか。そうすると、判断のつかないことを調査したり、ここは無視しておこうとか、接し方までわかるようになる。

でも、世の中には、そんなに悪くない嘘もある」

ひなはうつむいたまま、片方の足首をぐにぐに動かした。イヌガミさんが何をいいたいのか、ちょっとわからない。

イヌガミさんは、きつねのキャラが《一かいで、かしだしして　くれよな》って言ってる立て札をカウンターに置いた。それから立ってひなの横まで出てきた。いっしょにカウンターにもたれる。

「顔を上げてごらん、ひなさん」

言われたとおりに、ひなはイヌガミさんを見上げた。

イヌガミさんの緑の横顔は図書館のフロアに向いていた。

「ここにあるおはなしの本は、だいたい本当のことじゃない。本当じゃないことが嘘なら、図書館は嘘だらけだね。図書館ばっかりじゃない、映画に、テレビドラマに、演劇に、歌の詞だって、世の中は嘘だらけだ」

ひなへ振り向いて笑った。

「ぼくは、おはなしの本がなければ、たぶん今ここにいない。子どものころは本当の世界が怖くてさびしくて、学校の図書室に逃げてた。ピッピやヘンリーくんやかぎばあさんや夢水清志郎《ゆめみずきよしろう》といっしょにいるとき、ぼくも同じ気持ちだった。ピンチのときははらはらして、楽しいときは笑い、悲しいときは泣いた。

ひなさんは、どうだった？　青おにの貼り紙を読んだとき、ひなさんはどんな気持ちになった？」

ひなはごしごし鼻をこすった。

「ないちゃった……赤おにと同じ気持ちで」

「おはなしは、人を別世界に連れて行って、本当の世界を忘れさせてくれるね」

「うん」

ひなは本棚を見わたす。あの中には、ひなのぽかんとした気分をふさいでくれた本がたくさんある。

イヌガミさんもいっしょに本棚を見つめる。

「それだけじゃない、本当の世界にもどってきてからも、ぼくの中にはおはなしがはっきり残ってる。エルマーならこんなときどうするだろう、ジョンとジェームズはどうやって仲直りしたんだっけ、『できっこない』と言われてもジョニーは時計を作り上げたんだ……役立つことがたくさん……まあ、ダジャレとか、鼻くその味とか、おならの音の鳴らし方とか、あんまり役立ちそうもないこともたくさん」

イヌガミさんは手の甲《こう》に口をあて、思いっきり息を吹いた。さっき言った音が、館内に響きわたった。

「これは、ズッコケ三人組のハチベエが教えてくれた。あんまり人前でやってはいけない」

ひなは思わず笑いかけたが、きらんと頭の中が光った気がした。

「おんなじだ！」

イヌガミさんを見上げ、大声を上げる。

「ゆんのおはなしとおんなじだ！　ゆんのおはなしは、おもしろい本とおんなじだった。中の人といっしょにわたしもどきどきしたり、しんぱいしたり、大わらいした。リーマとカーチャにはうんと勇気があったし、ペドロとファンはとくいなことがんばったし、パウラは……とも、友だちが……大事だって教えて、くれた」

手さげをにぎる手が震える。喉の痛みをつばを飲みこんでごまかす。

「ゆんはちっとも、わたしにひどくなかった。わたしのほうがずっとひどい。わたしは、病気のときはさんざんゆんと楽しく遊んでたくせに、学校の友だちができたとたん、ゆんのことほったらかしにした。それどころか、わたし……『あんな子、知らない』なんて……」

ぱたり、と手さげが床に落ちた。ひなは全身を震わせ、懸命に声を振りしぼる。

「わたしは……赤おにだ。青おにを利用して、得したくせに、青おにを……ひとりぼっちにした、赤おにだ。ゆんがいったとおり……赤おには、ひどいやつだ」

イヌガミさんは腰をかがめ、ひなの耳にそっとささやく。

「ひなさん、ゆんさんに会いたい？」

「はい」

ひなは力なく、でも深くうなずいた。

「ゆんに会いたい、会ってあやまりたい、そしてまた、いっしょに……遊びた……」

心も体も、その場にぼろぼろ崩れてしまいそうだ。

イヌガミさんはひなの手さげを拾い、カウンターの上にきちんと置いた。それから、こほんとひとつ咳ばらいをしてから、

「しーらないの、しらないのー」

いきなり、すっとんきょうなメロディーで歌い始めた。

ひなはあ然としてイヌガミさんを見る。

向こうのテーブルで勉強してた女の子まで、ぎょっとこっちを振り向く。

それでも、イヌガミさんはやけくそみたいに歌い続ける。

「あーれがどこだかーしってるのー、しーらないのーしらないのー」

ちらっとひなを見ながら、

「知らなきゃ、カウンターの下！」

逃げるように、事務室に入っていっちゃった。

あっけにとられたひなだが、歌には覚えがあった。

「『きょうはなんのひ？』だ！」

暗号メモを探しまわる絵本だ。もたれていたカウンターからぱっと身を離す。

「カウンターの、下？」

しゃがんでよく見たが何もない。でも立ち上がるとき、ちらっと鮮やかな色が見えた。

「あ」

カウンターの天板はわずかに突き出ている。その裏側に、だいだい色の紙が貼りついていた。

《つまんなそうな顔でカウンターにいる人は？　↓　◯ヌガミさん》

「イ！　イヌガミさん！」

ひなは叫んだが、その下にさらに書いてあった。

《次は絵本・赤》

ひなは絵本コーナーへ駆けだした。赤のテープの棚をくまなく見る。

「あった」

今度の紙は緑色だ。

《らいおんをたすけた男の子は？　↓　◯ンディ　　次は45》

「アンディ！　ア！」

ひなはまた叫ぶ。45の意味もすぐにわかった。分類番号45の棚だ。そんなふうにしてひなはフロア中をまわって、次々と色紙を見つけた。

赤《タンザニア名産の宝石は？　↓　タンザ◯イト　　次は38》ナ！

紫《リオでやるものすごいお祭りって？　↓　カー◯バル　　次は59》ニ！

紺《こん》色《台湾語でショーロンポーは？　↓　シアオロンパ◯　　次は64》オ！

黄色《ロシアで人気の日本犬は？　↓　あき◯いぬ　　次は28》タ！

28の棚で見つかったのは青い紙だった。それを読んだひなは棒立ちになる。

《こわがりでやさしいプリンセスの名前は？　↓　さ◯いひなこ　　おしまい》

「……カ」

色紙の束を持って、ひなはふらふらとテーブル席に腰を下ろした。絵本『きょうはなんのひ？』のように、見つけた順に紙を並べる。◯の中に当てはまる字をつなげた。

「えっと、イ、ア、ナ、ニ、オ、タ、カ……あな？　なに？　タカ？」

意味がありそうでなさそうで、いろいろ考えるがよくわからない。

ひなは髪をぐしゃぐしゃかきまわし、何度も色紙を並《なら》べ替《か》えた。しかしわからない、とうとう半べそになって、

「わ────ん」

テーブルに突っ伏した。

なんのためにこんなことやってるんだろう。それすらわからない。

「ちょっと」

怒ったような声に、ひなはびくりと起き上がる。

テーブルの向かい側で、ショートカットの女の子がにらんでいた。手元にある算数ドリルを見たら、六年生だ。

ひなはちゃんと座りなおし、両手をひざにそろえた。

「あ、ごめんなさい、うるさくして」

「別にそうじゃなくて、それってさー」

六年生の女の子は、真っ黒でばさばさの髪をかいた。椅子にかけてあった赤いランドセルを探り、

「これの順番じゃない？」

差し出したのは、図書館カードだった。

ひなは音を立てて息を吸った。

あの日の、ゆんの言葉が、はっきり頭の中によみがえる。

――うわあ、きれいなカード……レッド、オレンジ、イエロー、グリーン、ブルー、ダークブ

ルーにパープル……にじの色だね。

ひなは震える手で、色紙をカードの絵の通りの順に並べる。

女の子のいうとおり、カードは七枚、七色——赤・だいだい・黄色・緑・青・紺色・紫——机の上に虹がかかった。

その順番で、それぞれの紙の○の中の字を読む。

「ナ、イ、タ……ア、カ、オ……ニ」

がたん、と音を立てて、

「『泣いた赤おに』だ！」

ひなは立ち上がった。でもはっと気がついて、

「ありがとう！」

と言うと、向かいの女の子はちょっと笑った。

あの日、ひなが持ってきた『泣いた赤おに』のページの間にあった。

それは英語の新聞を丁寧に折って作った封筒《ふうとう》だった。封筒には太いサインペンで、くっきり三文字書かれていた。

ひなへ

封筒を抱《だ》きしめ、ひなはうろうろ歩きだす。どこへ行ったらいいのかわからない。ただ、ひとりになりたい。

たどり着いたのは《おはなしのこべや》だ。上がりこんでしゃがみこむ。あせって指がすべる。

ようやく封筒から手紙を取り出した。

初めて見るゆんの字は、まるで小学一年生みたいだったけど、ひなにとってはまぶしいほど輝いて見えた。

うちの　あんこうの　てかみ　みつけて　ありかとう。
うちと　いぬかみさんと　けらいの　みいしやと　つくたよ。
きんくと　くいんは　もとはやくに　かいこくにいこおと　いいたんです。
ひなわもお　ともたちいるから　うちいなくも　さみしくない。
たから　かいこくいきます。
ともたちと　なかよくしてくたさい。
さよおなら。
いつまても　おけんきて。

いとしのひな　しあわせになてね。
とこにいようと、かわらない　あなたの　ともたち

ゆんりうす
うんすへあ
へすあとる
みるみる
るうふらん
へあとりちえひめより。

X　ひなの大事な大事な一番の友だち

『ひなのおはなし』

「わたしはだまって、ゆんの手紙を読みました。二度も三度も読みました。両手を顔に押しつけ、しくしくとなみだを流してなきました。

ううん、ちがいます。本当はしくしくなんてものじゃありませんでした。なみだは、まるで水道のじゃ口がこわれたみたいに、わたしの目からざあざあああふれ出ました。

しばらくすると、たぶんイヌガミさんがやってきて、タオルを貸してくれました。たぶん、というのはわたしは顔を上げられなかったからです。

なみだが多すぎて、持ってたハンカチじゃとてもおっつかなかったので、タオルはとても役に立ちました。えっくえっくとひきつりながら、《おはなしのこべや》のカーペットに座って、わたしは思うぞんぶんなみだを流しました。

そして、なみだはいきなり止まりました。きっと目の奥のなみだタンクが空っぽになっちゃったせいだと思います。

顔も体じゅうもじんじん熱かったけど、わたしはタオルを返しにカウンターへ行きました。

心に、ひとつ決めたことがありました。

おはなしには書かれてなかったけど、あの赤おにも、ないたそのあと、きっと同じことを心に決めたって、わたしは信じます。だって、あの赤おには、やさしい、すなおな、いいおにだから。

カウンターでは、イヌガミさんは大人の人と話をしていました。ふり向いたら、その人はえっちゃんでした。

『ひな子』

えっちゃんは買い物から帰ったら、家にわたしがいなかったので、しんぱいして探しに来たんでしょう。

『あんた、だいじょぶかい？』

『うん、だいじょうぶ』

わたしはえっちゃんを見上げました。

『わたし、これからゆんを見つけにいく。そいでゆんに、《ゆんはわたしの大事な大事な一番の友だちです。これまでも、これからも、どこまでも友だちです》っていいたい』

えっちゃんはわたしの手を引いて図書館を出ました。そしてずんずん歩きだしました。

『どこへ行くの、えっちゃん』

わたしが聞くと、

『当然、ゆんちゃんの家だあよ』

と、えっちゃんは答えました。

わたしはびっくりしました。えっちゃんはゆんの家を知っていて、おうちの人と話したことがあったんです。

『じゃなけりゃ、お泊まりなんてさせないさ』

すごい、大人ってすごいとわたしは思いました。

でもそれから、少しこわい気持ちになってきました。ゆんの家を見たくなかったからです。お城に住んでるとは思いませんが、クラスのみんなの話を聞いたせいで、とてもひどいところを勝手に想像してしまいそうでした。

わたしはくちびるをかみしめ地面を見ながら、ひどいことを想像しないように注意しながら、えっちゃんについていきました。

『ここだ』

えっちゃんの声に、やっとわたしは地面から顔を上げました。

そこはひどくはなく、かといってお城でもない、ごくふつうのマンションでした。わたしの家と同じでカギのない人は入れないので、一階の入り口の前のインターフォンで話す式のやつです。

えっちゃんはケータイのメモを見ながら、部屋番号を押しましたが、返事はありません。その場で電話もかけましたが、返事はありません。

わたしはずらりと並んだゆう便受けを見に行きました。えっちゃんの教えてくれた部屋番号のゆう便受けは、ガムテープでふさがれていました。

ああ、やっぱりゆんはもうこの国にいないんだ、とわかりました。ゆんの手紙にはほんとのことが書いてあったんだ、と思いました。

夕方のだいだい色の道を、わたしたちはとぼとぼ帰りました。

なみだタンクがまたあふれそうなので、わたしはそんなに元気よく歩けませんでしたし、えっちゃんの長いかげもしょんぼりしたふうに見えました。

気がつくと、駅のそばまで来ていました。

そこで、わたしははっとしました。

駅前ロータリーの横の、ぼろいかんばんに気がついたからです。

『えっちゃん、もうひとつだけ、手がかりがあった』

この時間のしあわせ横丁に入るのは、わたしははじめてでした。

人が大ぜいいます。両わきのお店はシャッターを開けたり、四角いかんばんを外に出したり、電気をつけたりしていて、昼間来る時とはまるで様子がちがいました。

昼間ゆんと来たときは、横丁はまるでしいんとねてるようでしたが、今は起きて、これからお勤めに出かける支たくをしてるみたいでした。

横丁の人たちは、子どもが入ってくるのを変に思ってじろじろ見る気がします。わたしはえっちゃんの手を、ぎゅうと強くにぎりなおしました。

『この奥に、ゆんの〝行きつけ〟があるの』

いってから、わたしはもっともっとどきどきしました。

ファンの店のことは、どの大人にもいってなかったからです。こんなところに来てたなんて、しかられると思いました……ううん、それ以上にどきどきするのは、ファンの店なんてほんとはなくて、わたしとゆんの頭の中にだけある『ふしぎなお店』かもしれないと思ったからです。

えっちゃんはちょっとわたしの顔を見ましたが、『子どもが、こんな繁華《はんか》街《がい》に出入りして』とはいいませんでした。

ファンの店はちゃんとありました。

『ここかい？』

と、えっちゃんが聞き、わたしは大きくうなずきました。その動きで、なみだがぽろりとこぼれ、それからまたざあざあ流れだしました。

ファンの店は、閉まっていたからです。表のランプにも、小さなまどの向こうにも明かりはありません。えっちゃんが何度もノックしたけど、固くしまったドアの向こうから返事はありませんでした。

　あたりはすっかり夜でした。スーツを着たおじさんやスーツじゃないおじさんたちが、ぞろぞろわたしたちの後ろを通りすぎていきます。お化粧《けしょう》のこい女の人がたばこをすいながら外に立っていたり、細い道を酒屋さんのトラックがすぎていったりしました。

『帰んべよ』

　と、えっちゃんがいって、わたしはほっとしたくらいでした。そででごしごしなみだをふいて、顔を上げました。

『あ』

　駅のほうから、大きな買い物袋をさげた男の人がやってきます。ぼさぼさの髪、首ののびたシャツに穴だらけのズボン、足ははだし……ではなくてビーチサンダルをはいていました。

　でも、わたしにはだれだかすぐにわかりました。

『ファン！』

　わたしがさけぶと、その人はびくっと立ち止まりました。でもちゃんとメガネをしてたので、すぐにわかったようです。

『あ……いらっしゃいませ、ひなさま』

　ファンはちょっとはずかしそうにぼさぼさ頭をかきました。穴あきズボンのポケットからカギを出して、わたしたちをお店に入れてくれました。

『ただ今、用意をいたしますので……』
カウンターの奥に引っこもうとしたので、わたしはまたさけびました。
『ゆんの、ゆんの引っこし先を教えて、ファン！』
ファンはいつものクールな顔で、わたしを見ました。
『……申し訳ないことですが、存じません』
でもメガネの奥の目は、きょろきょろしています。
えっちゃんもそれに気がついたみたいでした。
『知ってんだろ、ファンさんとやら』
ゆっくり近づくと、ファンはじりじりあとずさりします。
『いいえ……知りません』
その後ろはすぐにかべです。
どん。
えっちゃんが、ファンの顔のすぐ横のかべに手をつきました。
ファンはしゅっと息をすって、かべに背中をひっつけました。
『うちのかわいい孫娘が、このままじゃ焦《こ》がれ死《じ》にしちまうんだあよ』
えっちゃんの声は、地ごくから出てきたみたいでした。
わたしも必死にいいました。

『教えてくれなきゃ、あの言葉をいうよ！　ショー……シアオ、ロン……』

『哇《ワ》――――――！』

ファンはさけび、ずりずり背中をすってその場に座りこみました。

『不《ブ》……やめて、ください』

しかし、えっちゃんはやめません。ファンを閉じこめたまま逃がしません。

しゃがみこんだファンは、うつむいてなにか考えているふうでしたが、急に顔を上げ、

『ああっ、あれはなんですか！』

まどのほうを指さしました。

『『え？』』

わたしとえっちゃんは思わずふり向いて、そっちの方向を見ました。

その一しゅんの間に、ファンは奥の部屋へ引っこんでしまいました。あわててなにかにぶつかったみたいで、奥からは、がららん、がららん、と大きな音がひびきました。

わたしは、体じゅうから力がぬけちゃった気がしました。えっちゃんもそうみたいです。

わたしたちはとほうにくれて、しばらくお店のイスに座っていました。

『そろそろおかあさん、帰って来るな』

えっちゃんがうで時計を見ながらいったので、わたしはのろのろイスから下りました。

そのとき、奥からファンが出てきました。服も髪もぴっちり整えていつものきちんとしたかっ

こうです。

『ゆんさまは、ひなさまには何も告げるなとおっしゃいました』

『なんで？　どうして？』

なきそうになってわたしが聞くと、ファンはため息をひとつつきました。それから、わたしをまっすぐ見ました。

『そうすると、本物のさよならになってしまうから。それはいやだから、とおっしゃっていました』

　えっちゃんがわたしをぎゅっとだきしめてくれたので、わたしはがまんができました。いいえ、ほんとは少しないちゃいました。

　ファンは、わたしの目の前のカウンターに、

『……私も正確な住所までは存じません。ただ、先日これが届きました』

　一枚の絵はがきを置きました。

　全部英語だったけど、それはまさしくゆんの字でした。裏面は白い砂浜、ヤシの木の林、そして宝石のようにすき通った青緑色の海の写真でした。

　えっちゃんがわたしの手からはがきを取って、切手のあたりを見ました。

『ふむ、この消印……』

　消印なんて見なくても、わたしにもわかりました。

『一生に一度は乗ってみてえと、思ってたけっどおー！』

えっちゃんがさけびました。さけばないと、となりのわたしにすら声がよく聞こえなかったからです。

『オープンカーなんて、そんないいもんじゃないねえー！』

えっちゃん自慢《じまん》のふわふわパーマの髪は、からまってあばれまわってとても大変そうです。サマードレスにつけたブラックオパールのブローチもよく見えません。今日のために買った女優さんみたいなすてきな帽子《ぼうし》も、飛ばさないように手で持ってないといけません。

でもわたしは、オープンカーでよかったと思いました。おしゃべりには少し不便だけど、ごうごう吹く風の中にいるって、飛んでるみたいでとってもおもしろいです。車の中の、あのいやなにおいもしないし。髪は編んで、しっかり頭のまわりに巻きつけてあるのでだいじょうぶです。

それに、なんてったってすてきなのは景色です。真っ青な空から海までつぎ目なしにすっかり全部見えます。もうすぐ十一月だというのに、ここはずっと夏の国です。

お天気がいいので、海の色ったらたいしたものでした。エメラルドやターコイズ、サファイア、ラピスラズリにタンザナイト……世界中の青い宝石は見たことないから、どれがどれだかわかんないけど、たしかに総動員してもあの海の色にはまったくかなわないと思いました。

『今、ハレイワタウンに入りましたー！』

運転席でさけんだのは、ファンです。ファンの髪はぴったりかためてあるので、この風の中でもちっとも乱れません。運転するには太陽がまぶしいのでサングラスをしていて、真っ赤なアロハシャツを着ているので、なんだかギャングの人みたいです。

あんまりファンが気の毒だったからおわびの気持ちで、とえっちゃんがこの旅に誘《さそ》いました。

でも、本当のところは運転手と荷物持ちと道案内と通訳がほしかったんだと思います。

意外なことにファンはすぐにＯＫして、わたしたちの旅にくっついてきました。

ファンが、えっちゃんとわたしをうらみに思ってなくて、ほんとによかったです。

もしかしたら、まだ少しうらんでいるのかもしれません。でもそれが気にならないくらい、ファンも来たかったにちがいありません。

『ここで止めて！』

わたしはさけびました。

オープンカーはすぐにスピードをゆるめて、道の右のはじっこにとまりました。

シートベルトをはずし、わたしはドアを飛びこえ車から下りました。

道を渡ってから、ぐるりと景色をかくにんします。

右手には、宝石よりきれいな青緑の海と白い砂のビーチ、ところどころにヤシの木が立っています。左手には草の丘があって白い上りの坂道がありました。丘の頂上には、波にのったサーファーのかんばんがあります。なにもかもがぴったり合います。まるで、ジグソーパズルの最後のピースがかちりとはまったみたいでした。

わたしは丘の白い坂道を上りました。そう、あのときのジョンみたいに走って上りました。息なんてちっとも切れません。

頂上近くに、大きな犬の形がひょっこり見えました。耳の片方がたれて、片方が立っています。ふぁさーふぁさーってしっぽをふるのもわかります。

そして、そのとなりにもうひとり立ちました。私を見つけて、大きく手をふっています。光のぐあいで、わたしからはそのすがたは黒いかげに見えました。

でもわたしにはわかってました。そのかげさんの目は、すき通った黒の中に、赤や緑の火花がぱちぱちはじける、ブラックオパールみたいな色なんだって」


「これでおしまい？」

と、ゆんが聞く。

ひなは首を横に振り、

「あと、もうちょっと……そのかげさんは、わたしの大事な大事な一番の友だちです。これまでも、これからも、どこまでも友だちです……丘の上で、ふたりはがっちりだきあいました」

口を閉じて、ゆんを見つめた。

ゆんはぶるっと一回震え、ふうーっと息を吐いた。それから、ひなを見返す。

ふたりは見つめあったまま、声をそろえ、

「「めでたし、めでたし」」

大声で言って笑い転げた。

この物語に登場する作品

＊古典など版が複数出ているものは、公共図書館で手に入りやすいものを基準に選びました。

『うらしまたろう』時田史郎／再話、秋野不矩／画　福音館書店

『アルプスの少女ハイジ』（10歳までに読みたい世界名作9）ヨハンナ・シュピリ、柚希きひろ／絵、松永美穂／編訳　学研プラス

『アメンボ観察事典』（自然の観察事典6）小田英智／構成、中谷憲一／文・写真　偕成社

『わたしはカメムシ』（ふしぎいっぱい写真絵本25）新開孝／写真・文　ポプラ社

『長くつ下のピッピ』アストリッド・リンドグレーン、桜井誠／絵、大塚勇三／訳　岩波少年文庫

『番ネズミのヤカちゃん』リチャード・ウィルバー、大社玲子／絵、松岡享子／訳　福音館書店

『はるかな国の兄弟』アストリッド・リンドグレーン、イロン・ヴィークランド／絵、大塚勇三／訳　岩波少年文庫

『河原にできた中世の町―へんれきする人びとの集まるところ』（歴史を旅する絵本）網野善彦、司修／絵　岩波書店

『ひとまねこざる』（岩波の子どもの本）H・A・レイ、光吉夏弥／訳　岩波書店

『ウォーリーをさがせ！』マーティン・ハンドフォード、唐沢則幸／訳　フレーベル館

『わっしょいわっしょいぶんぶんぶん』かこさとし　偕成社

『ジェシカがいちばん』ケヴィン・ヘンクス、こかぜさち／訳　福武書店

『アルド・わたしだけのひみつのともだち』ジョン・バーニンガム、たにかわしゅんたろう／訳　ほるぷ出版

『ふしぎなともだち』サイモン・ジェームズ、小川仁央／訳　評論社

『赤毛のアン』ルーシー・モード・モンゴメリ、村岡花子／訳　新潮文庫

『どろぼうがっこう』かこさとし　偕成社

『大どろぼうホッツェンプロッツ』オトフリート・プロイスラー、F・G・トリップ／絵、中村浩三／訳　偕成社

『かいじゅうたちのいるところ』モーリス・センダック　じんぐうてるお／訳　冨山房

『どろんこハリー』ジーン・ジオン、マーガレット・ブロイ・グレアム／絵、わたなべしげお／訳　福音館書店

『チョコレート工場の秘密』（ロアルド・ダールコレクション2）ロアルド・ダール、クェンティン・ブレイク／絵、柳瀬尚紀／訳　評論社

『おじいさんのランプ』（新美南吉童話傑作選）新美南吉、篠崎三朗／絵　小峰書店

「アナンシと五」（ジャマイカ民話）『子どもに聞かせる世界の民話』矢崎源九郎／編　実業之日本社

「しっかりしたスズの兵隊」『アンデルセンのおはなし』ハンス・クリスチャン・アンデルセン、エドワード・アーディゾーニ／選・絵、江國香織／訳　のら書店
『ジュニア地図帳（アトラス）こども世界の旅』高木実／構成・文、花沢真一郎／イラスト　平凡社
『君たちはどう生きるか』吉野源三郎　マガジンハウス
『コックリさんを楽しむ本』荒木葉子＋塩野広次、板倉聖宣／監修　国土社
『少年少女版　日本妖怪図鑑』岩井宏實、川端誠／絵　文化出版局
『格闘技がわかる絵事典　国が変わればルールも変わる！　古武道から総合格闘技まで』近藤隆夫／監修、きやんみのる／イラスト　ＰＨＰ研究所
『アンディとらいおん』ジェームズ・ドーハーティ、むらおかはなこ／訳　福音館書店
『きょうはなんのひ？』瀬田貞二、林明子／絵　福音館書店
『泣いた赤おに』（1年生からよめる日本の名作絵どうわ）浜田広介、西村敏雄／絵、宮川健郎／編　岩崎書店
『ピッピ船にのる』アストリッド・リンドグレーン、桜井誠／絵、大塚勇三／訳　岩波少年文庫
『色セロハンでつくろう―たのしいステンドグラスのいろいろ』（ペーパーランド）渡辺叡　ポプラ社
『ドリトル先生と月からの使い』（ドリトル先生物語）ヒュー・ロフティング、井伏鱒二／訳　岩波少年文庫
『腎臓病の人のおいしいレシピブック』富野康日己／医学監修、金丸絵里加／料理監修　保健同人社
『赤ずきん』グリム／文、バーナディット・ワッツ／絵　生野幸吉／訳　岩波書店
『かにむかし』木下順二／文、清水崑／絵　岩波書店
『おっとあぶない』マンロー・リーフ、わたなべしげお／訳　学研プラス
『しずかなおはなし』サムイル・マルシャーク／文、ウラジミル・レーベデフ／絵、うちだりさこ／訳　福音館書店
『けんこうだいいち』マンロー・リーフ、わたなべしげお／訳　復刊ドットコム
『みてるよみてる』マンロー・リーフ、わたなべしげお／訳　復刊ドットコム
『しょうぼうじどうしゃじぷた』渡辺茂男、山本忠敬／絵　福音館書店
『がんばれヘンリーくん　改訂新版』（ゆかいなヘンリーくん）ベバリイ・クリアリー、ルイス・ダーリング／絵、松岡享子／訳　学研プラス
『ふしぎなかぎばあさん』手島悠介、岡本颯子／絵　岩崎書店
「名探偵夢水清志郎事件ノート」シリーズ　はやみねかおる、村田四郎／絵　講談社青い鳥文庫

参考文献

『エルマーのぼうけん』ルース・スタイルス・ガネット、ルース・クリスマン・ガネット／絵　わたなべしげお／訳　福音館書店

『きみなんかだいきらいさ』ジャニス・メイ・ユードリー、モーリス・センダック／絵　こだまともこ／訳　冨山房

『時計つくりのジョニー』エドワード・アーディゾーニ、あべきみこ／訳　こぐま社

『それいけズッコケ三人組』那須正幹、前川かずお／絵　ポプラ社

『日本十進分類法（ＮＤＣ）新訂９版』もりきよし　日本図書館協会

『カポエイラ　はじける肉体の即興芸術　自由に、軽やかに、のびやかに』三田雄士＋カルメン・ミタ　現代書林

『本場に学ぶ中国茶』王広智／監修、陳文華／顧問、岩谷貴久子／訳　科学出版社東京

『五感で楽しむ中国茶　季節とともに、人生の折節とともに』林圭子、平松マキ／写真　オフィスエム

虹《にじ》いろ図《と》書《しょ》館《かん》のひなとゆん

5分シリーズ+

２０２０年10月20日　初版印刷
２０２０年10月30日　初版発行

著者　櫻井とりお

発行者　小野寺優
発行所　株式会社河出書房新社
〒一五一－〇〇五一　東京都渋谷区千駄ヶ谷二－三二－二
☎〇三－三四〇四－一二〇一（営業）
☎〇三－三四〇四－八六一一（編集）
http://www.kawade.co.jp/

カバーイラスト・挿絵　浮雲宇一
デザイン　野条友史（BALCOLONY.）
組版　株式会社キャップス
印刷・製本　三松堂株式会社

［著者略歴］
櫻井とりお（さくらい・とりお）
京都市生まれ。放送大学教養学部卒。都内区役所在職中、およそ10年間公立図書館で勤務。２０１８年第１回氷室冴子青春文学賞大賞を受賞、１９年『虹いろ図書館のへびおとこ』（河出書房新社）で作家デビュー。現在、関東圏の公立図書館で非正規の司書として勤めながら小説を書き続けている。

ISBN978-4-309-02922-1
Printed in Japan